孔子学院总部/国家汉办
Confucius Institute Headquarters(Hanban)

MW01077220

标准教程
STANDARD
COURSE

HSK

主编： 姜丽萍
LEAD AUTHOR: Jiang Liping

编者： 张军、董政
AUTHORS: Zhang Jun, Dong Zheng

4下

孔子学院总部/国家汉办
北京语言大学出版社
BEIJING LANGUAGE AND CULTURE
UNIVERSITY PRESS

序

  2009年全新改版后的HSK考试，由过去以考核汉语知识水平为主，转为重点评价汉语学习者运用汉语进行交际的能力，不仅在考试理念上有了重大突破，而且很好地适应了各国汉语教学的实际，因此受到了普遍欢迎，其评价结果被广泛应用于汉语能力的认定和作为升学、就业的重要依据。

  为进一步提升孔子学院汉语教学的水平和品牌，有必要建立一套循序渐进、简便易学、实用高效的汉语教材体系和课程体系。此次经国家汉办授权，由汉考国际（CTI）和北京语言大学出版社联合开发的《HSK标准教程》，将HSK真题作为基本素材，以**自然幽默的风格**、**亲切熟悉的话题**、**科学严谨的课程设计**，实现了与HSK考试内容、形式及等级水平的全方位对接，是一套充分体现考教结合、以考促学、以考促教理念的适用教材。很高兴把《HSK标准教程》推荐给各国孔子学院，相信也会对其他汉语教学机构和广大汉语学习者有所裨益。

  感谢编写组同仁们勇于开拓的工作！

许　琳

孔子学院总部　总干事

中国国家汉办　主　任

前言

自2009年国家汉办推出了新汉语水平考试（HSK）以来，HSK考生急剧增多。至2013年底，全球新HSK实考人数突破80万人。随着汉语国际教育学科的不断壮大、海外孔子学院的不断增加，可以预计未来参加HSK考试的人员会越来越多。面对这样一个庞大的群体，如何引导他们有效地学习汉语，使他们在学习的过程中既能全方位地提高汉语综合运用能力，又能在HSK考试中取得理想成绩，一直是我们思考和研究的问题。编写一套以HSK大纲为纲，体现"考教结合""以考促教""以考促学"特点的新型汉语系列教材应当可以满足这一需求。在国家汉办考试处和北京语言大学出版社的指导下，我们结合多年的双语教学经验和对汉语水平考试的研究心得，研发了这套考教结合的新型的系列教材《HSK标准教程》系列（以下简称"教程"）。

一、编写理念

进入21世纪，第二语言教学的理念已经进入后方法时代，以人为本，强调小组学习、合作学习，交际法、任务型语言教学、主题式教学成为教学的主流，培养学习者的语言综合运用能力成为教学的总目标。在这样一些理念的指导下，"教程"在编写过程中体现了以下特点：

1. 以学生为中心，注重培养学生的听说读写综合运用能力

"考教结合"的前提是为学生的考试服务，但是仅仅为了考试就会走到应试的路子上去，这不是我们编教的初衷。如何在为考试服务的前提下重点提高学生的语言能力是我们一直在探索的问题，也是本套教材的特色之一。以HSK一、二级为例，这两级的考试只涉及听力和阅读，不涉及说和写，但是在教材中我们从一级开始就进行有针对性的语音和汉字的学习和练习，并且吸收听说法和认知法的长处，课文以"情景+对话+图片"为主，训练学生的听说技能。练习册重点训练学生的听力、阅读和书写的技能，综合起来培养学生的听说读写能力。

2. 融入交际法和任务型语言教学的核心理念

交际法强调语言表达的得体性和语境的作用，任务型语言教学强调语言的真实性和在完成一系列任务的过程中学习语言，两种教学法都强调语言的真实和情境的设置，以及在交际过程中培养学生的语言能力。HSK考试不是以哪一本教材为依据进行的成绩测试，而是依据汉语水平考试大纲而制定的，是考查学习者语言能力的能力测试。基于这样的认识，"教程"编写就不能像以往教材那样，以语言点为核心进行举一反三式的重复和训练，这样就不能应对考试涉及的方方面面的内容，因此我们在保证词语和语法点不超纲的前提下，采取变换情境的方式，让学习者体会在不同情境下语言的真实运用，在模拟和真实体验中学习汉语。

3. 体现了主题式教学的理念

主题式教学是以内容为载体、以文本的内涵为主体所进行的一种语言教学活动，它强调内容的多样性和丰富性，一般来说，一个主题确定后，通过接触和这个主题相关的多个方面的学习内容，加速学生对新内容的内化和理解，进而深入探究，培养学生的创造能力。"教程"为了联系学生的实际，开阔学生的视野，从四级分册开始以主题引领，每个主题下又分为若干小主题，主题之间相互联系形成有机的知识网络，使之牢固地镶嵌在学生的记忆深处，不易遗忘。

二、"教程"的特色

1. 以汉语水平考试大纲为依据，逐级编写"教程"

汉语水平考试（HSK）共分六个等级，"教程"编教人员仔细研读了"大纲"和出题指南，并对大量真题进行了统计、分析。根据真题统计结果归纳出每册的重点、难点、语言点、话题、功能、场景等，在遵循HSK大纲词汇要求的前提下，系统设计了各级别的范围、课时等，具体安排如下：

教材分册	教学目标	词汇量（词）	教学时数（学时）
教程1	HSK（一级）	150	30–34
教程2	HSK（二级）	300	30–36
教程3	HSK（三级）	600	35–40
教程4（上/下）	HSK（四级）	1200	75–80
教程5（上/下）	HSK（五级）	2500	170–180
教程6（上/下）	HSK（六级）	5000 及以上	170–180
总计：9册		5000 以上	510–550

这种设计遵循汉语国际教育的理念，注重教材的普适性、应用性和实用性，海内外教学机构可根据学时建议来设计每册书完成的时限。比如，一级的《教程1》规定用34学时完成，如果是来华生，周课时是8课时的话，大概一个月左右就能学完；在海外如果一周是4课时的话，学完就需要两个月的时间。以此类推。一般来说，学完《教程1》就能通过一级考试，同样学完《教程2》就能通过二级考试，等等。

2. 每册教材配有练习册，练习册中练习的形式与HSK题型吻合

为了使学习者适应HSK的考试题型，教材的各级练习册设计的练习题型均与该级别的HSK考试题型吻合，从练习的顺序到练习的结构等都与考题试卷保持一致，练习的内容以本课的内容为主，目的是使学习者学完教材就能适应HSK考试，不需额外熟悉考试形式。

3．单独设置交际练习，紧密结合HSK口试内容

在HSK考试中，口试独立于笔试之外，为了培养学生的口语表达能力，在教程中，每一课都提供交际练习，包括双人活动和小组活动等，为学习者参加各级口试提供保障。

本套教程在策划和研发过程中得到了孔子学院总部/国家汉办、北京语言大学出版社和汉考国际（CTI）的大力支持和指导，是全体编者与出版社总编、编辑和汉办考试处、汉考国际命题研发人员集体智慧的结晶。本人代表编写组对以上机构和各位参与者表示衷心的感谢！我们希望使用本教程的师生，能够毫无保留地把使用的意见和建议反馈给我们，以便进一步完善，使其成为教师好教、学生好学、教学好用的好教程。

姜丽萍

本册说明

《HSK标准教程4》适合学习过110学时，已掌握HSK一、二、三级大纲所包含的600个词语，准备参加HSK（四级）考试的汉语学习者使用。

一、全书分上、下册，共20课，教材涵盖HSK（四级）大纲中包含的600个词语和十几个超纲词（在书中用"*"标注）。全书每课生词平均30~35个，语言点注释5个。每课建议授课时间为4~6学时。

二、教程基本继承了《HSK标准教程》前三级的编写思路和体例，在难度、深度和广度上各有所延伸，每课增加"比一比"（即语言点对比分析）、"扩展"（同字词）以及"文化"等板块。

三、教程每课均分为七大板块：热身、课文（含生词）、注释（含"比一比"及"根据课文内容回答问题"）、练习、扩展、运用、文化。其中前三段课文是独立的对话，后两段课文是短文。

1. **热身**。热身由两部分构成。第一部分主要使用图片进行本课重点词语或短语的导入，目的是调动学习者的学习热情和兴趣，并为相关词语的理解预热。第二部分的形式则较为灵活，有调查表格、回答问题、看图说话等，一般需要学习者合作完成，目的是使学习者对本课内容有一个初步感知，为学习新课做好铺垫。

2. **课文**。课文编写依据HSK（四级）真题语料内容，筛选出爱情、友情、求职、健康等20个主题作为全书20课的主题内容。每课课文由三段独立对话和两段独立短文组成，每篇对话或短文围绕本课主题涉及的五个子主题展开，如第1课以爱情为主题，其中的五段对话或短文分别以"恋爱"、"结婚"、"婚姻生活"、"对浪漫的理解"和"影响婚姻生活幸福的因素"五个子主题展开教学。在编写时力图将HSK（四级）考试真题句有机融入课文。

教程承袭了《HSK标准教程》前三级的基本体例，增加了短文教学的比重，目的是进一步培养学习者成段表达能力。课文的三个子主题对话包含3个话轮，但在长度和难度上有所增加；两个子主题短文中第一段短文字数限定为150~170字，第二段短文为170~190字，长度和难度梯度递进。每篇对话或短文都配置了相应内容的生词，每部分平均6个生词。

3. **注释**。每篇对话或短文都设置注释，帮助学习者学习本篇所涉及的一个语言点。语言点以"注释+例句"的形式出现，分条缕析，力求简捷、清楚、易学。每个语言点的解释只涉及HSK（四级）真题中出现的用法及其常用用法，并视用法的多少，从易到难搭配3~6个适当改编过的真题例句，其中变颜色的例句为课文原句。每个课文一个语言点，稀释了语言点的分布密度，降低了学习难度。每个语言点都设计了3个小练习，要求学生完成句子或对话，检验和巩固学生对语言点学习的掌握，贯彻本教程"以练代讲、多练少讲"的原则。

每课从五个语言点中选取一个语言点，针对这个语言点，与已学过且易混淆的语言点做对比分析，例句基本上来自真题例句。"比一比"随需要比较的语言点出现，在比较完易混淆语言点的相同点和不同点之后，设计了"做一做"，练习形式为选词填空，方便学生检视对两者用法的掌握情况。

注释的最后还分别针对对话和短文设计了"根据课文内容回答问题"，用于检测学生对课文最基本的理解情况。

4. **练习**。练习环节安排在注释之后，练习形式分"复述"和"选择合适的词语填空"两种。"复述"要求学习者依照课文三段对话的内容，分别以某段对话中某人的语气说话。此环节教师可灵活掌握，可在学习完每段对话后使用，也可作为最后的综合练习使用。在复述的内容上，可鼓励学生在课文内容基础上，联系学生自身实际情况来表达。"选择合适的词语填空"从本课生词中选出10个重点词做填空练习，其中第一部分5个词的练习形式为句子，第二部分5个词的练习形式为对话。本环节的目的是巩固和检查学习者对当课主要内容和重点词汇的掌握情况。

5. **扩展**。扩展环节突出HSK考试以旧字（义）带新词的特色，针对若干使用同字（义）的词语开展扩展和联想练习。如"时候、时间、及时、平时、准时"5个词语共同使用"时"这个汉字。联想词语既包含一、二、三级的词汇，也包含四级已学词汇，帮助学习者以同字（义）为纽带，掌握理解新词、构成新词的技能。例句和练习用句均来源于HSK真题句。

6. **运用**。此板块包括双人活动和小组活动两个部分。双人活动要求学习者采用调查采访的方式，完成调查表格；小组活动要求学习者围绕与课文主题相关的某话题，并使用课文中出现的某些语言结构进行表达。通过这两个任务，让学习者通过与他人合作的方式，在具体语境中综合运用所学语言点及词语，完成一次交际活动或任务，旨在把语言知识内化为交际能力。

7. **文化**。此环节的目的是帮助学习者了解并熟悉相关中国文化。每课以图文并茂的形式，介绍一个与本课主题相关的中国文化。如第3课，课文以求职为主题，涉及面试着装、第一印象等内容，因此当课的"文化"板块介绍了中国传统正装"中山装"和"旗袍"的相关内容。

以上是对本教材课本教程使用方法的一些说明和建议，教师可以根据实际教学情况灵活运用本教材。通过学习本教材，学生可以轻松掌握600个HSK（四级）词语和100个语言点，并掌握20个易混淆语言点的异同，为提高汉语能力、通过HSK（四级）考试打下坚实的基础。另外，本教材的主题、课文、例句与练习的语料均保存了HSK（四级）考试的原汁原味，使真题语料有机融合于教材编写，强调"以考促学、考教结合"的理念，真正实现了寓"考"于"学"。最后，希望这本教材能够让学习者轻松学习、轻松考试，有效地提高自己的汉语能力。

本教材中的部分图片来源于网上，由于时间、地域、联系渠道等多方面的困难，我们在无法与所有权利人取得联系的情况下使用了有关作品，对此，我们深表歉意并衷心希望得到权利人的理解和支持。

编者

2014年5月

目录　Contents

比一比 Compare	同字词 Words with the Same Character	文化 Culture
无论—不管	同：同意、共同、相同、同时	中国古典文学名著 ——《西游记》 A Classic Work in Chinese Literature–*Journey to the West*
对于—关于	用：信用卡、作用、使用	孔子"因材施教" Confucius' Individualized Teaching
大概—也许	量：商量、数量、质量	中国的筷子文化 Chopsticks in Chinese Culture
于是—因此	度：速度、温度、态度	"天人合一"——中国人的"人与自然观" "The Unity of Heaven and Man"–Chinese Philosophy about the Relationship between Humans and Nature
千万—一定	护：护照、保护、护士	孟母三迁的故事 Mencius' Mother Moved Thrice
恐怕—怕	重：严重、重点、重视、尊重	只要功夫深，铁杵磨成针 As Long as You Work Hard Enough, an Iron Pestle Can Be Ground Down to a Needle
趟—次	然：既然、竟然、仍然、突然	中国国宝大熊猫 The National Treasure of China–Giant Panda
接着—然后	点：地点、特点、优点、缺点、重点	微博与微信 *Weibo* and WeChat
出来—起来	发：沙发、发生、发展、理发	舌尖上的中国——饺子 A Bite of China–*Jiaozi*
究竟—到底	格：性格、价格、表格、合格、严格	中国的少数民族 Ethnic Minorities in China

11

Dú shū hǎo, dú hǎo shū, hào dú shū

读书好，读好书，好读书

It's good to read; read good books and like reading

热身 1
Warm-up

给下面的词语选择对应的图片，并用这个词语根据图片说一个句子。

Match the pictures with the words and describe the pictures with sentences using the words.

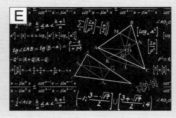

kètīng
❶ 客厅_____

cāi
❷ 猜_____

fùzá
❸ 复杂_____

yuèdú
❹ 阅读_____

zázhì
❺ 杂志_____

bǐjì
❻ 笔记_____

2

读一读下面的句子，说一说这些句子有哪些特点。

Read the following sentences and talk about their characteristics.

❶ 别着急，马克正开着车，他马上就到。

❷ 小朋友，我们一起数数字，学数数。

❸ 他要求自己每次都得把汉字写得特别好看。

❹ 等你长高了，这条牛仔裤穿起来就不长了。

❺ 你帮我把那个没把儿的杯子拿过来。

课文 **1** 马克介绍自己学习汉语的方法 　11-1
Texts

大卫：你来中国才一年，汉语就说得这么流利，真厉害！

马克：谢谢！其实我的语法不太好，很多句子说得都不太准确。

大卫：但是我看你跟中国人交流没什么问题，你是怎么做到的？

马克：平时多交一些中国朋友，经常和他们聊天儿，听说能力自然就能得到很大的提高。另外，我建议你坚持看中文报纸，这样能学到很多新词语。

大卫：你太厉害了！连中文报纸都看得懂。

马克：刚开始肯定有困难，不过遇到不认识的词语，你可以查词典，然后写在本子上，有空儿就拿出来复习一下，慢慢地就会发现中文报纸也没那么难了。

生词

1. 流利　liúlì
adj. fluent
2. 厉害　lìhai
adj. awesome, serious
3. 语法　yǔfǎ
n. grammar
4. 准确　zhǔnquè
adj. accurate, precise
5. 词语　cíyǔ
n. word, expression
6. 连　lián
prep. even

专有名词

大卫　Dàwèi
name of a person

2 小夏和小雨聊考试的情况 　11-2

小夏：考试结束了，你对自己的成绩满意吗？

小雨：说真的，我不太满意。这次阅读考试的题太多了，我没做完。

小夏：两个小时的时间应该来得及吧？

小雨：这次主要是因为我先做了比较难、比较复杂的题，结果花了太多时间，后面简单的题我虽然会，可是时间来不及，最后只好放弃了。

小夏：其实我考得也不怎么样。有几个填空题不会做，有几个选择题，实在想不出来该选哪个，就随便猜了一个答案，结果一个都没猜对。

小雨：看来要想考好，不但要认真复习，还得注意考试的方法，否则，会做的题也没时间做了。

生词

7. 阅读　yuèdú
v. to read
8. 来得及　láidejí
v. there's still time (to do sth.)
9. 复杂　fùzá
adj. complicated
10. 只好　zhǐhǎo
adv. cannot but, to be forced to
11. 填空　tián kòng
v. to fill in a blank
12. 猜　cāi
v. to guess
13. 否则　fǒuzé
conj. or, otherwise

3 小李告诉小林阅读的好处　　🎵 11-3

小林：你的客厅里怎么到处是书啊？这些书你都喜欢看吗？

小李：当然，我每天都要看书。无论是普通杂志，还是著名小说，只要打开它们，就会发现，世界上有那么多有意思的事情，有那么多不一样的生活。

小林：想不到你工作那么忙，还能每天坚持阅读。

小李：如果3分钟读一页书，半个小时就可以读10页。每天花半个小时来读书，一个月就可以读300页，差不多就是一本书了。

小林：是啊，一个真正爱看书的人总能找出时间来阅读。

小李：坚持阅读，除了能增加知识外，还能帮助我减轻压力，人也会变得轻松起来。

生词

14.	客厅	kètīng n. living room
15.	无论	wúlùn conj. regardless of, no matter (what, how, when, etc.)
16.	杂志	zázhì n. magazine
17.	著名	zhùmíng adj. famous, well-known
18.	页	yè m. page
19.	增加	zēngjiā v. to increase, to add

拼音课文 Texts in *Pinyin*

1. Mǎkè jièshào zìjǐ xuéxí Hànyǔ de fāngfǎ

Dàwèi: Nǐ lái Zhōngguó cái yì nián, Hànyǔ jiù shuō de zhème liúlì, zhēn lìhai!

Mǎkè: Xièxie! Qíshí wǒ de yǔfǎ bú tài hǎo, hěn duō jùzi shuō de dōu bú tài zhǔnquè.

Dàwèi: Dànshì wǒ kàn nǐ gēn Zhōngguó rén jiāoliú méi shénme wèntí, nǐ shì zěnme zuò dào de?

Mǎkè: Píngshí duō jiāo yìxiē Zhōngguó péngyou, jīngcháng hé tāmen liáo tiānr, tīng shuō nénglì zìrán jiù néng dédào hěn dà de tígāo. Lìngwài, wǒ jiànyì nǐ jiānchí kàn Zhōngwén bàozhǐ, zhèyàng néng xuédào hěn duō xīn cíyǔ.

Dàwèi: Nǐ tài lìhai le! Lián Zhōngwén bàozhǐ dōu kàn de dǒng.

Mǎkè: Gāng kāishǐ kěndìng yǒu kùnnan, búguò yùdào bú rènshi de cíyǔ, nǐ kěyǐ chá cídiǎn, ránhòu xiě zài běnzi shang, yǒu kòngr jiù ná chulai fùxí yíxià, mànmàn de jiù huì fāxiàn Zhōngwén bàozhǐ yě méi nàme nán le.

2. Xiǎo Xià hé Xiǎoyǔ liáo kǎoshì de qíngkuàng

Xiǎo Xià: Kǎoshì jiéshù le, nǐ duì zìjǐ de chéngjì mǎnyì ma?

Xiǎoyǔ: Shuō zhēn de, wǒ bú tài mǎnyì. Zhè cì yuèdú kǎoshì de tí tài duō le, wǒ méi zuò wán.

注释 Notes 1 连

"连"，介词，表示强调，常用"连……也/都……"结构。说话人通过强调一项极端的例子来说明另一种情况。"连"的后边，可以是主语。例如：

The preposition "连" is often used in the structure "连……也/都……" for emphasis. The speaker explains another kind of situation by emphasizing an extreme case. The noun following "连" can be the subject. For example:

（1）如果连你自己都不喜欢自己，又怎么能让别人喜欢你呢？

（2）广告越来越多，几乎无处不在。不只是电视上有广告，公共汽车、地铁上也有很多广告，连我住的楼的电梯里都有三个广告。

"连"的后边，也可以是前置的宾语。例如：

The noun following "连" can also be a prepositive object. For example:

（3）你太厉害了！连中文报纸都看得懂。

● **练一练** Practice

完成句子 Complete the sentences.

（1）_____，小孩子更拿不动了。（连）

（2）_____，我们更解决不了了。（连）

（3）安娜因为这件事很生气，_____。（连）

Xiǎo Xià: Liǎng ge xiǎoshí de shíjiān yīnggāi láidejí ba?

Xiǎoyǔ: Zhè cì zhǔyào shì yīnwèi wǒ xiān zuòle bǐjiào nán、bǐjiào fùzá de tí, jiéguǒ huāle tài duō shíjiān, hòumiàn jiǎndān de tí wǒ suīrán huì, kěshì shíjiān láibují, zuìhòu zhǐhǎo fàngqì le.

Xiǎo Xià: Qíshí wǒ kǎo de yě bù zěnmeyàng. Yǒu jǐ ge tiánkòng tí bú huì zuò, yǒu jǐ ge xuǎnzé tí, shízài xiǎng bu chūlái gāi xuǎn nǎ ge, jiù suíbiàn cāile yí ge dá'àn, jiéguǒ yí ge dōu méi cāiduì.

Xiǎoyǔ: Kànlái yào xiǎng kǎohǎo, búdàn yào rènzhēn fùxí, hái děi zhùyì kǎoshì de fāngfǎ, fǒuzé, huì zuò de tí yě méi shíjiān zuò le.

3. Xiǎo Lǐ gàosu Xiǎo Lín yuèdú de hǎochù

Xiǎo Lín: Nǐ de kètīng li zěnme dàochù shì shū a? Zhèxiē shū nǐ dōu xǐhuan kàn ma?

Xiǎo Lǐ: Dāngrán, wǒ měi tiān dōu yào kàn shū. Wúlùn shì pǔtōng zázhì, háishi zhùmíng xiǎoshuō, zhǐyào dǎkāi tāmen, jiù huì fāxiàn, shìjiè shang yǒu nàme duō yǒu yìsi de shìqing, yǒu nàme duō bù yíyàng de shēnghuó.

Xiǎo Lín: Xiǎngbudào nǐ gōngzuò nàme máng, hái néng měi tiān jiānchí yuèdú.

Xiǎo Lǐ: Rúguǒ sān fēnzhōng dú yí yè shū, bàn ge xiǎoshí jiù kěyǐ dú shí yè. Měi tiān huā bàn ge xiǎoshí lái dú shū, yí ge yuè jiù kěyǐ dú sānbǎi yè, chàbuduō jiù shì yì běn shū le.

Xiǎo Lín: Shì a, yí ge zhēnzhèng ài kàn shū de rén zǒng néng zhǎo chū shíjiān lái yuèdú.

Xiǎo Lǐ: Jiānchí yuèdú, chúle néng zēngjiā zhīshi wài, hái néng bāngzhù wǒ jiǎnqīng yālì, rén yě huì biànde qīngsōng qilai.

2 ■ 否则

"否则"，连词，是"如果不是这样"的意思。"否则"后面的句子表示从前面句子推论出的结果，或者提供另一种选择。例如：

The conjunction "否则" means "if not…, then…". The sentence following it indicates the result inferred from the previous sentence or offers another choice. For example:

（1）他一定有重要的事找你，否则不会打这么多次电话来。

（2）你最好下午四点前去公司找她，否则就明天早上再去。

（3）看来要想考好，不但要认真复习，还得注意考试的方法，否则会做的题也没时间做了。

● **练一练 Practice**

完成句子 Complete the sentences.

（1）理想的广告不应该太长，＿＿＿＿＿＿＿＿＿＿＿＿。（否则）

（2）要想减肥成功，一定要坚持，＿＿＿＿＿＿＿＿＿＿＿。（否则）

（3）去美国留学前应该先学好英语，＿＿＿＿＿＿＿＿＿＿。（否则）

3 ■ 无论

"无论"，连词，表示在任何条件下结果或结论都不会改变，常用"无论……都/也……"结构。"无论"后面可以是表示选择关系的并列成分，也可以是表示任指的疑问代词。例如：

The conjunction "无论" means the result or conclusion won't change under any circumstances, usually used in the structure "无论……都/也……". It can be followed by coordinate alternatives, or an interrogative pronoun referring to anybody or anything. For example:

（1）无论是普通杂志，还是著名小说，只要打开它们，就会发现，世界上有那么多有意思的事情，有那么多不一样的生活。

（2）无论做什么事都要注意方法，正确的方法可以让我们做得更好。

（3）这次比赛他已经打出了自己最好的水平，无论结果怎么样，我们都应该为他高兴。

● **练一练 Practice**

完成句子 Complete the sentences.

（1）＿＿＿＿＿＿＿＿＿＿＿＿＿＿＿＿，她都非常认真。（无论）

（2）做事情如果不注意方法，_____。（无论）

（3）_____，我们都会为您免费送货。（无论）

比一比 Compare 无论—不管

相同点：都可做连词，表示在任何条件下结果或结论都不会改变，常跟"都、也"一起用。两者后都可加表示任指的疑问代词，或者选择关系的并列成分。

Similarity: Both can be used as conjunctions, usually together with "都/也", to indicate that the result or conclusion won't change under any circumstances. Both can be followed by an interrogative pronoun referring to anybody or anything or by coordinate alternatives.

无论/不管干什么事情，最好都能提前做好计划。

无论/不管是烦恼的事，还是愉快的事，我每天都会在日记里记下来。

不同点：Differences:

1. "不管"多用于口语，后面不能用"如何、是否"等文言色彩的词；"无论"多用于书面语，可接"如何、是否"。

"不管" is often used in spoken Chinese and cannot take formal and classical words such as "如何" and "是否", while "无论", which is often used in written Chinese, has no such restriction.

无论如何，我都不会离开你。

2. "不管"后可用正反形式；"无论"后用正反形式时，一般在正反形式中间加"还是、跟、与"。

"不管" can be followed by an affirmative-negative form; when "无论" is followed by an affirmative-negative form, "还是/跟/与" is usually used between the affirmative and negative constituents.

不管热不热，他总是穿这么多。

无论/不管热还是不热，他总是穿这么多。

● 做一做 Drills

选词填空 Tick or cross

	无论	不管
（1）_____别人说什么，我只相信自己眼睛看见的东西。	✓	✓
（2）_____去不去，最后都别忘了告诉我一声。	×	✓
（3）_____是工作还是学习，"光说不练"都是不行的。		

		无论	不管
（4）虽然压力很大，但是为了我们共同的理想，_____如何一定不能放弃。			
（5）阳光、空气和水，_____是对动植物，还是对人来说，这三样东西都是不可缺少的。			

■■ 根据课文内容回答问题　Answer the questions based on the texts.

课文1：❶ 马克为什么能顺利地跟中国人交流？他有哪些建议？

❷ 大卫认为对学习汉语的外国人来说，做什么特别难？

课文2：❸ 你认为小雨下次考试可能会用什么答题方法？

❹ 要想考好，应该注意哪些方面？为什么？

课文3：❺ 小李家的客厅有什么特点？小李有什么好习惯？

❻ 坚持阅读能给人带来哪些好处？

课文 **4** 💿 11-4
Texts

根据调查，阅读能力好的人，不但容易找到工作，而且工资也比较高。怎么才能有效提高自己的阅读能力呢？做读书笔记就是其中一种好方法。读书笔记有很多种，最简单的就是把自己喜欢或者觉得有用的词语和句子记下来。另外，在看完一篇文章或一本书之后，还可以把它的主要内容和自己的想法写下来。然而，你不能完全相信书本上的内容，要有自己的看法和判断。坚持做读书笔记，对提高阅读能力有很大帮助。

生词

20. 文章　wénzhāng
n. essay, article

21. 之　zhī
part. *connecting the modifier and the word modified*

22. 内容　nèiróng
n. content

23. 然而　rán'ér
conj. but, however

24. 看法　kànfǎ
n. viewpoint, opinion

5   💿 11-5

"读书好 (hǎo)，读好 (hǎo)书，好 (hào) 读书"。虽然这句话只用了三个相同的汉字，但是不同的顺序却表示了不同的意思。首先，"读书好"说的是读书有很多好处；其次，每个人的时间都是有限的，不可能把世界上每一本书都读完，所以要读好的书；最后，"好读书"就是要养成阅读的习惯，使读书真正成为自己的兴趣爱好。阅读有许多好处，它能丰富你的知识，让你找到解决问题的办法；同时，它还会丰富你的情感，使你的生活更精彩。所以，让阅读成为你的习惯吧！

生词

25. 相同   xiāngtóng
      adj. same
26. 顺序   shùnxù
      n. order, sequence
27. 表示   biǎoshì
      v. to express, to indicate
28. 养成   yǎngchéng
      v. to develop, to form
29. 同时   tóngshí
      conj. at the same time, meanwhile
30. 精彩   jīngcǎi
      adj. wonderful, splendid

拼音课文 Texts in *Pinyin*

4

Gēnjù diàochá, yuèdú nénglì hǎo de rén, búdàn róngyì zhǎodào gōngzuò, érqiě gōngzī yě bǐjiào gāo. Zěnme cái néng yǒuxiào tígāo zìjǐ de yuèdú nénglì ne? Zuò dúshū bǐjì jiù shì qízhōng yì zhǒng hǎo fāngfǎ. Dúshū bǐjì yǒu hěn duō zhǒng, zuì jiǎndān de jiù shì bǎ zìjǐ xǐhuan huòzhě juéde yǒuyòng de cíyǔ hé jùzi jì xialai. Lìngwài, zài kànwán yì piān wénzhāng huò yì běn shū zhīhòu, hái kěyǐ bǎ tā de zhǔyào nèiróng hé zìjǐ de xiǎngfǎ xiě xialai. Rán'ér, nǐ bù néng wánquán xiāngxìn shūběn shang de nèiróng, yào yǒu zìjǐ de kànfǎ hé pànduàn. Jiānchí zuò dúshū bǐjì, duì tígāo yuèdú nénglì yǒu hěn dà bāngzhù.

5

"Dú shū hǎo, dú hǎo shū, hào dú shū". Suīrán zhè jù huà zhǐ yòngle sān ge xiāngtóng de Hànzì, dànshì bù tóng de shùnxù què biǎoshìle bù tóng de yìsi. Shǒuxiān, "dú shū hǎo" shuō de shì dú shū yǒu hěn duō hǎochù; qícì, měi ge rén de shíjiān dōu shì yǒuxiàn de, bù kěnéng bǎ shìjiè shang měi yì běn shū dōu dúwán, suǒyǐ yào dú hǎo de shū; zuìhòu, "hào dú shū" jiù shì yào yǎngchéng yuèdú de xíguàn, shǐ dú shū zhēnzhèng chéngwéi zìjǐ de xìngqù àihào. Yuèdú yǒu xǔduō hǎochù, tā néng fēngfù nǐ de zhīshi, ràng nǐ zhǎodào jiějué wèntí de bànfǎ. Tóngshí, tā hái huì fēngfù nǐ de qínggǎn, shǐ nǐ de shēnghuó gèng jīngcǎi. Suǒyǐ, ràng yuèdú chéngwéi nǐ de xíguàn ba!

注释 4 然而
Notes

"然而"，连词，用在后半句的开头，表示转折，多用于书面语。"然而"后可加逗号，表示停顿。例如：

The conjunction "然而" is used at the beginning of the second half of a sentence to indicate a turn in meaning, usually used in written Chinese. It can be followed by a comma to indicate a pause. For example:

（1）他虽然失败了很多次，然而一直没有放弃。

（2）很多人觉得自己的生活是幸福的，然而每个人对幸福的看法却不完全相同。

（3）另外，在看完一篇文章或一本书之后，还可以把它的主要内容和自己的想法写下来。然而，你不能完全相信书本上的内容，要有自己的看法和判断。

● 练一练 Practice

完成句子 Complete the sentences.

（1）他从小就想成为一名警察，＿＿＿＿＿＿＿＿＿＿＿＿。（然而）

（2）把简单的问题说复杂并不难，＿＿＿＿＿＿＿＿＿＿＿＿。（然而）

（3）有的人觉得只要有钱就会幸福，＿＿＿＿＿＿＿＿＿＿＿＿。（然而）

5 同时

"同时"，连词，有更进一步的意思，常和"又、也、还"连用。例如：

The conjunction "同时" introduces a further remark, often used together with "又/也/还". For example:

（1）因为小孩子的想法没有那么复杂，所以他们总是很快乐。同时，小孩子也是最诚实的。

（2）阅读有许多好处，它能丰富你的知识，让你找到解决问题的办法；同时，它还会丰富你的情感，使你的生活更精彩。

"同时"，名词，表示动作行为在同一个时间发生，常用结构为"在……（的）同时"。例如：

The noun "同时" indicates that two actions take place at the same time, often used in the structure "在……（的）同时" (when/while…). For example:

（3）李教授讲的这个故事让人觉得好笑的同时，又让人觉得有些难过。

（4）在学习汉语的同时，我还了解了中国文化，认识了很多中国朋友。

● **练一练** Practice

完成句子 Complete the sentences.

（1）他是我们的老师，＿＿＿＿＿＿＿＿＿＿＿＿＿＿＿＿＿。（同时）

（2）她是著名的科学家，＿＿＿＿＿＿＿＿＿＿＿＿＿＿＿＿＿。（同时）

（3）＿＿＿＿＿＿＿＿＿＿＿＿＿＿＿＿＿，还在一个公司工作。（在……同时）

  根据课文内容回答问题 Answer the questions based on the texts.

课文4：❶ 哪种方法可以提高阅读能力？请你再说一种有效的方法。

❷ "书里的知识都是正确的"，这句话对吗？为什么？

课文5：❸ 我们应该选择读什么样的书？为什么？

❹ 通过学习"读书好，读好书，好读书"这句话，说说汉语有哪些特点。

练习
Exercises

1 复述 Retell the dialogues.

课文1：马克的语气：

我学习汉语已经一年了，刚来中国时我的汉语不太好，……

课文2：小夏的语气：

虽然这次阅读考试我考了80分，但是我还是不太满意。……

课文3：小李的语气：

通过阅读，我发现世界上有那么多不一样的生活，……

2 选择合适的词语填空 Choose the proper words to fill in the blanks.

著名　　有限　　复杂　　顺序　　增加

❶ 为了保证您和他人的安全，请您按照"先下后上"的＿＿＿＿＿上下车。

❷ 科学的发展确实给生活带来了许多方便，但也给我们＿＿＿＿＿了不少烦恼。

❸ 虽然身高只有一米六零，但他却是世界上＿＿＿＿＿的篮球运动员。

❹ 这个问题有点儿＿＿＿＿＿，你耐心听我给你解释一下，好吗？

⑤ 一个人的知识是＿＿＿＿＿＿的，所以人与人之间需要交流，交流能使我们丰富知识、提高能力。

准确　　只好　　厉害　　词语　　内容

⑥ A：大夫，我的牙最近疼得＿＿＿＿＿＿，不知道是怎么回事。

B：你先躺这儿，张开嘴我看看。

⑦ A：你家的孩子真可爱，会说话了吗？

B：会叫"爸爸""妈妈"了，也能说一些简单的＿＿＿＿＿＿。

⑧ A：这是复习材料，复习要注意方法，要复习重要内容。

B：时间可能来不及，不过＿＿＿＿＿＿这样了，这些语法知识太难了。

⑨ A：听说公司明年要搬，到时候我又得重新找房子了。

B：这个消息＿＿＿＿＿＿吗？我怎么不知道？

⑩ A：你看过那位作家的小说吗？他的小说语言幽默，＿＿＿＿＿＿丰富。

B：那当然了，他在国内很受欢迎，他的小说已经被翻译成了好几种语言。

扩展　**■■■** 同字词　Words with the Same Character
Expansion　同：同意、共同、相同、同时

（1）如果她再坚持一次请我帮忙，我就同意了，可是她没有。

（2）夫妻之间只有浪漫的爱情是不够的，共同的理想和爱好也很重要。

（3）他很年轻，可是遇到问题时，却比相同年龄的人更冷静。

（4）我哥哥今年26岁，在读硕士研究生的同时，还在一家公司工作。

● **做一做** Drills

选词填空　Choose the proper words to fill in the blanks.

同意　　共同　　相同　　同时

❶ 幽默是成功者的＿＿＿＿＿＿特点之一，也是值得我们好好学习的一种生活态度。

❷ A：网上买衣服没法试穿，大小不合适怎么办？

B：没关系，号码不合适的话，店家一般都会＿＿＿＿＿＿换的。

③ 医生建议大家冬季在选择合适的锻炼方法的_____，应该注意运动量不要太大。

④ 中国小孩子的小名一般都比较好听好记，而且很多都是两个_____的字，比如"乐乐""笑笑""聪聪"等。

运用
Application

1 双人活动 Pair Work

互相了解对方阅读中文报纸的情况，完成调查表。

Learn about each other's situations regarding Chinese newspaper reading and complete the questionnaire below.

	问	答
1	你看过中文报纸吗？ （如果没看过，请做第5题）	
2	你为什么选择看中文报纸？	
3	在阅读中文报纸时，你遇到过哪些困难和问题？	
4	坚持阅读中文报纸对提高你的中文阅读能力有什么作用？	
5	你通过什么方式提高你的中文阅读能力？	
6	你最喜欢看什么中文报纸？为什么？	

2 小组活动 Group Work

不同的作家有不同的性格，他们的书也各有各的特点。向小组成员介绍一下你最喜欢哪位作家，最喜欢看他/她的什么书。（最少用四个下面的结构）

Different authors have different personalities, and their works vary in features. Who is your favourite author? Which book of his/hers do you like best? Introduce the author and the book to your group members. (Use at least four of the following structures.)

a. 得到很大的提高

b. 最后只好放弃

c. 只要打开就会发现

d. 能帮助我减轻压力

e. 有用的词语和句子

f. 自己的看法和判断

g. 时间都是有限的

h. 使生活更精彩

文化 CULTURE

中国古典文学名著—《西游记》

A Classic Work in Chinese Literature – *Journey to the West*

《西游记》是中国古代最著名的小说之一，它成书于明朝（1368–1644）中期。这部小说在中国和世界各地广为流传，被翻译成多种文字。小说以民间传说为基础，通过神话的形式，讲述唐僧带领孙悟空、猪八戒和沙僧三个徒弟去西天取经的故事。在取经的路上，师徒四人遇到了很多困难，战胜了无数妖魔，最终取得真经。以《西游记》故事创作的经典动画片《大闹天宫》、电视连续剧及电影等为人们喜闻乐见。

Journey to the West, completed in the middle of the Ming Dynasty (1368-1644), is among the most famous novels of ancient China. It has been translated into different languages and is widely read in China as well as in other parts of the world. Based on a folk legend, the novel tells the myths of Monk Tang's journey with his three disciples, Monkey King, Pigsy and Sandy, to fetch the Buddhist scriptures. On the way, the four of them come across a great many difficulties, defeat myriad demons, and finally achieve their goal. The classic cartoon *Fighting against the Heavenly Palace*, the TV series and the film based on the novel are still much loved by the people.

12

用心发现世界

Discover the world with your heart

热身 1
Warm-up

给下面的词语选择对应的图片，并用这个词语根据图片说一个句子。

Match the pictures with the words and describe the pictures with sentences using the words.

yán
① 盐＿＿＿＿＿＿＿

yǒuhǎo
② 友好＿＿＿＿＿＿

xiāngfǎn
③ 相反＿＿＿＿＿＿

yèzi
④ 叶子＿＿＿＿＿＿

jiàoyù
⑤ 教育＿＿＿＿＿＿

shāngliang
⑥ 商量＿＿＿＿＿＿

2

下面的东西分别是用什么做的？想一想生活中还有哪些不用的东西有别的用处。

What are the following things made of? Think about the things you don't use any more that can be used for other purposes.

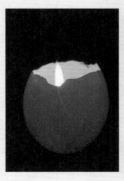

课文 **1** 王经理做生意遇到了困难　🔘 *12-1*
Texts

王经理：听说这次生意你到现在还没谈成。

马经理：按我以前的经验，早应该谈成了，这次我也不知道哪儿出了问题。

王经理：有句话叫"规定和经验是死的，人是活的"。当"规定"和"经验"不能解决问题时，建议你改变一下自己的态度和想法。

马经理：很多时候，我都习惯根据过去的经验做事，可惜，经验不是全部都是对的。

王经理：遇到不能解决的问题时，我们应该试着走走以前从来没走过的路，也许这样就能找到解决问题的方法了。

马经理：好，我再跟同事商量商量，希望能及时发现问题，并且准确地找到解决问题的方法。

生词

1. 规定　guīdìng
   n. rule, regulation
2. 死　sǐ
   adj. rigid, inflexible
3. 可惜　kěxī
   adj. pitiful, regretful
4. 全部　quánbù
   n. all, whole
5. 也许　yěxǔ
   adv. maybe, perhaps
6. 商量　shāngliang
   v. to discuss, to consult
7. 并且　bìngqiě
   conj. and

拼音课文 **Texts in *Pinyin***

1. Wáng jīnglǐ zuò shēngyi yùdàole kùnnan

   Wáng jīnglǐ: Tīngshuō zhè cì shēngyi nǐ dào xiànzài hái méi tánchéng.

   Mǎ jīnglǐ: Àn wǒ yǐqián de jīngyàn, zǎo yīnggāi tánchéng le, zhè cì wǒ yě bù zhīdào nǎr chūle wèntí.

   Wáng jīnglǐ: Yǒu jù huà jiào "guīdìng hé jīngyàn shì sǐ de, rén shì huó de". Dāng "guīdìng" hé "jīngyàn" bù néng jiějué wèntí shí, jiànyì nǐ gǎibiàn yíxià zìjǐ de tàidù hé xiǎngfǎ.

   Mǎ jīnglǐ: Hěn duō shíhou, wǒ dōu xíguàn gēnjù guòqù de jīngyàn zuò shì, kěxī, jīngyàn bú shì quánbù dōu shì duì de.

   Wáng jīnglǐ: Yùdào bù néng jiějué de wèntí shí, wǒmen yīnggāi shìzhe zǒuzou yǐqián cónglái méi zǒuguo de lù, yěxǔ zhèyàng jiù néng zhǎodào jiějué wèntí de fāngfǎ le.

   Mǎ jīnglǐ: Hǎo, wǒ zài gēn tóngshì shāngliang shāngliang, xīwàng néng jíshí fāxiàn wèntí, bìngqiě zhǔnquè de zhǎodào jiějué wèntí de fāngfǎ.

2 高老师告诉女儿洗衣服的方法　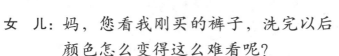 12-2

女　儿：妈，您看我刚买的裤子，洗完以后颜色怎么变得这么难看呢？

高老师：看来是掉颜色了，你洗的时候在水里加点儿盐就不会这样了。

女　儿：放盐？！盐不是用来做饭的吗？难道它还能让衣服不掉颜色？

高老师：当然。有些衣服第一次洗的时候会掉颜色，其实，有很多方法可以解决这个问题。在水里加勺盐再洗是最简单的方法。用盐水来洗新衣服，这样穿得再久、洗的次数再多，衣服也不容易掉颜色。

女　儿：我第一次听说盐有保护衣服颜色的作用，生活中还真有不少课本上无法学到的知识。

高老师：实际上，很多问题的答案都可以从生活中找到。但这需要你用眼睛去发现，用心去总结。

生词

8. 盐　　yán
n. salt

9. 勺（子）sháo (zi)
n. spoon

10. 保护　bǎohù
v. to protect

11. 作用　zuòyòng
n. function

12. 无法　wúfǎ
v. cannot, to be unable (to do sth.)

无　　wú
v. not to have, to be without

---

2. Gāo lǎoshī gàosu nǚ'ér xǐ yīfu de fāngfǎ

Nǚ'ér: Mā, nín kàn wǒ gāng mǎi de kùzi, xǐwán yǐhòu yánsè zěnme biànde zhème nánkàn ne?

Gāo lǎoshī: Kànlái shì diào yánsè le, nǐ xǐ de shíhou zài shuǐ li jiā diǎnr yán jiù bú huì zhèyàng le.

Nǚ'ér: Fàng yán?! Yán bú shì yònglái zuò fàn de ma? Nándào tā hái néng ràng yīfu bú diào yánsè?

Gāo lǎoshī: Dāngrán. Yǒuxiē yīfu dì-yī cì xǐ de shíhou huì diào yánsè, qíshí, yǒu hěn duō fāngfǎ kěyǐ jiějué zhège wèntí. Zài shuǐ li jiā sháo yán zài xǐ shì zuì jiǎndān de fāngfǎ. Yòng yánshuǐ lái xǐ xīn yīfu, zhèyàng chuān de zài jiǔ、xǐ de cìshù zài duō, yīfu yě bù róngyì diào yánsè.

Nǚ'ér: Wǒ dì-yī cì tīngshuō yán yǒu bǎohù yīfu yánsè de zuòyòng, shēnghuó zhōng hái zhēn yǒu bù shǎo kèběn shang wúfǎ xuédào de zhīshi .

Gāo lǎoshī: Shíjì shang, hěn duō wèntí de dá'àn dōu kěyǐ cóng shēnghuó zhōng zhǎodào. Dàn zhè xūyào nǐ yòng yǎnjing qù fāxiàn, yòng xīn qù zǒngjié.

3 高老师学习王教授的教育方法　💿 12-3

高老师：王教授，今天听完您的这节课，我终于明白为什么您的课那么受学生欢迎了。

王教授：谢谢！您能详细谈谈对我的课的看法吗？

高老师：我发现您对学生特别了解，而且总是能用最简单的方法把复杂的问题解释清楚，让每个学生都能听懂，这一点真是值得我们好好儿学习。

王教授：哪里哪里，这只是因为我对每个学生的能力水平比较了解。

高老师：那您认为对于老师来说，什么是最难做到的？

王教授：世界上没有完全相同的叶子，同样地，世界上也没有完全一样的人。所以，在教育学生时，要根据学生的特点选择不同的方法，我想这应该是最不容易做到的。

生词

13. 节　jié
    m. section, length

14. 详细　xiángxì
    adj. detailed

15. 解释　jiěshì
    v. to explain

16. 对于　duìyú
    prep. for, to, with regard to

17. 叶子　yèzi
    n. leaf

18. 教育　jiàoyù
    v. to educate

3. Gāo lǎoshī xuéxí Wáng jiàoshòu de jiàoyù fāngfǎ

Gāo lǎoshī: Wáng jiàoshòu, jīntiān tīngwán nín de zhè jié kè, wǒ zhōngyú míngbai wèi shénme nín de kè nàme shòu xuésheng huānyíng le.

Wáng jiàoshòu: Xièxie! Nín néng xiángxì tántan duì wǒ de kè de kànfǎ ma?

Gāo lǎoshī: Wǒ fāxiàn nín duì xuésheng tèbié liǎojiě, érqiě zǒngshì néng yòng zuì jiǎndān de fāngfǎ bǎ fùzá de wèntí jiěshì qīngchu, ràng měi ge xuésheng dōu néng tīngdǒng, zhè yì diǎn zhēn shì zhídé wǒmen hǎohāor xuéxí.

Wáng jiàoshòu: Nǎli nǎli, zhè zhǐshì yīnwèi wǒ duì měi ge xuésheng de nénglì shuǐpíng bǐjiào liǎojiě.

Gāo lǎoshī: Nà nín rènwéi duìyú lǎoshī lái shuō, shénme shì zuì nán zuòdào de?

Wáng jiàoshòu: Shìjiè shang méiyǒu wánquán xiāngtóng de yèzi, tóngyàng de, shìjiè shang yě méiyǒu wánquán yíyàng de rén. Suǒyǐ, zài jiàoyù xuésheng shí, yào gēnjù xuésheng de tèdiǎn xuǎnzé bù tóng de fāngfǎ, wǒ xiǎng zhè yīnggāi shì zuì bù róngyì zuòdào de.

注释 1 并且
Notes

"并且"，连词，可用于连接并列的动词或形容词等，表示几个动作同时进行或几种性质同时存在。也可以连接句子，表示更进一层的意思。例如：

The conjunction "并且" can be used to connect coordinate verbs or adjectives, indicating several actions or qualities taking place or existing at the same time, or to connect sentences, indicating a further meaning. For example:

（1）他做事很认真，并且有丰富的经验，让他负责很合适。

（2）这种植物开的花比普通的花大很多，并且特别漂亮。

（3）这房子家具全，电视、空调、冰箱都很新，并且价格也便宜，真的很值得考虑。

（4）好，我再跟同事商量商量，希望能及时发现问题，并且准确地找到解决问题的方法。

● **练一练** Practice

完成句子 Complete the sentences.

（1）＿＿＿＿＿＿＿＿＿＿＿＿＿＿＿＿＿＿＿＿＿＿＿＿＿，

所以我们只好留在家里了。　　　　　　　　　　　　　（并且）

（2）很多人都选择坐地铁上下班，＿＿＿＿＿＿＿＿＿＿＿＿

＿＿＿＿＿＿＿＿＿＿＿＿＿＿。　　　　　　　　　（并且）

（3）＿＿＿＿＿＿＿＿＿＿＿＿＿＿＿＿＿＿＿＿＿＿＿＿＿，

最后就一定能获得成功。　　　　　　　　　　　　　　（并且）

2 再……也……

"再……也……"结构常用于表示让步的假设句，"再"后面可加动词、形容词、句子等，表示"即使、无论怎么"的意思。例如：

The structure "再……也……" is usually used in a hypothetical sentence indicating concession. "再" can be followed by a verb, an adjective or a sentence etc., meaning "even if, no matter how". For example:

（1）事情已经发生了，你再后悔也无法改变，别伤心了。

（2）用盐水来洗新衣服，这样穿得再久、洗的次数再多，衣服也不容易掉颜色。

（3）如果我们有什么看法或者意见，不管别人再怎么不同意、不支持，也应该说出来，让别人知道我们的想法和态度。

● 练一练 Practice

完成句子 Complete the sentences.

（1）如果一个人不积极、不努力，＿＿＿＿＿＿＿＿。（再……也……）

（2）同学们只要平时认真学习，＿＿＿＿＿＿＿＿。（再……也……）

（3）有些事情过去了就过去了，不要后悔，＿＿＿＿＿＿＿＿＿＿＿

＿＿＿＿＿＿＿＿＿＿＿＿＿。（再……也……）

3 对于

"对于"，介词，表示某种态度或情况所涉及的对象。"对于……"可用在主语前或后。例如：

The preposition "对于" introduces the object that a certain attitude or situation is concerned with. "对于……" can either precede or follow the subject. For example:

（1）对于这件事，我跟大家的看法不同。

（2）对于中国人来说，春节是一年之中最重要的节日，春节的时候人们会举行各种各样的迎新年活动。

（3）那您认为对于老师来说，什么是最难做到的?

● 练一练 Practice

完成句子 Complete the sentences.

（1）＿＿＿＿＿＿＿＿＿＿＿，她都非常认真。（对于）

（2）＿＿＿＿＿＿＿＿＿＿，他们很难做出决定。（对于）

（3）＿＿＿＿＿＿＿＿＿，这个阅读题有点儿难。（对于）

比一比 Compare　　对于—关于

不同点：Differences:

1. 两者都是介词，但意义不同。"对于"着重指出对象，这个对象常是动词的受动者，或者某种情况涉及的事物；"关于"着重指出范围，介绍出所关系到的事物。

The two prepositions are different in meaning. "对于" points out the object, which is often the patient of an action or the thing a certain situation is concerned with; "关于" points out the scope, introducing the thing to be talked about.

对于这次调查计划，经理特别满意。

关于这次调查计划，经理说有很多不清楚的地方。

2. "对于"可放在主语前或后；"关于"只可放在主语前。

"对于" can be put either before or after the subject, while "关于" can only precede the subject.

对于每个需要帮助的人，他都会热情、耐心地提供帮助。

他对于每个需要帮助的人都会热情、耐心地提供帮助。

关于什么是幸福，每个人都有自己不同的看法。

3. "关于……"可以出现在书或者文章的名字中，而"对于"无此用法。

"关于……" can appear in the title of a book or article, while "对于" cannot be used this way.

《关于中国经济的几个问题》

● 做一做 Drills

选词填空 Tick or cross

	对于	关于
（1）＿＿＿＿这个问题，你应该再认真地考虑一下。	✓	✓
（2）＿＿＿＿这方面的情况，大家最好上网去查一查。	×	✓
（3）＿＿＿＿怎样提高中文阅读能力，这一学习方法实践证明是有效的。		
（4）现在人们＿＿＿＿自然环境越来越注意保护了。		
（5）昨天在报纸上看到一篇＿＿＿＿这位明星的新闻，才知道她竟然还只是一位在校大学生。		

■ 根据课文内容回答问题 Answer the questions based on the texts.

课文1：❶ 说说你认为经验有没有用，为什么。

❷ 要是工作或学习遇到困难，你可能用什么方法去解决？

课文2：❸ 哪种方法可以保护衣服不掉颜色？说说你知道的别的方法。

❹ 举例说明你从生活中还学到了哪些课本上学不到的知识。

课文3：❺ 高老师认为王教授上课成功有哪些方面的原因？

❻ 从"世界上没有完全相同的叶子"这句话，你可以学到什么？

课文 **4** 💿 12-4
Texts

人人都会使用语言，但是怎么用语言把话说好却是一门艺术。看一个人怎么说话，往往可以比较准确地判断出他是一个什么样的人。有的人心里怎么想，嘴上就怎么说，即使是别人的缺点，他也会直接说出来，这样的人虽然很诚实，但是可能会引起别人的误会；有的人虽然也看到了别人的缺点，但却不会直接指出来，而是通过别的方法来提醒，让他认识到自己的缺点，这样的人会让人觉得更友好。

生词		
19. 使用	shǐyòng	
	v. to use	
20. 语言	yǔyán	
	n. language	
21. 直接	zhíjiē	
	adj. direct, straight	
22. 引起	yǐnqǐ	
	v. to cause, to lead to	
23. 误会	wùhuì	
	n. misunderstanding	
24. 友好	yǒuhǎo	
	adj. friendly	

5 💿 12-5

无论做什么事情，都要注意方法，学习尤其是这样。使用正确的方法，我们做起事来能"事半功倍"，也就是说，能节约时间，用较少的力气，取得更好的效果。相反，如果方法不对，可能花五倍甚至十倍的时间都不能完成任务，结果变成了"事倍功半"。有一点需要提醒大家，别人的方法也许很有效，但是并不一定适合自己。因此，我们应该在听取别人意见的同时，仔细考虑一下，再根据不同的情况选择不同的方法，这样才能达到最好的效果。

生词		
*25. 事半功倍	shì bàn gōng bèi	
	to achieve twice the result with half the effort	
26. 节约	jiéyuē	
	v. to economize, to save	
27. 力气	lìqi	
	n. physical strength, effort	
28. 相反	xiāngfǎn	
	conj. on the contrary	
29. 任务	rènwu	
	n. task, mission	
30. 意见	yìjiàn	
	n. opinion, suggestion	
31. 仔细	zǐxì	
	adj. careful, meticulous	
*32. 达到	dádào	
	v. to reach, to attain	

拼音课文 Texts in *Pinyin*

4

　　Rénrén dōu huì shǐyòng yǔyán, dànshì zěnme yòng yǔyán bǎ huà shuōhǎo què shì yì mén yìshù. Kàn yí ge rén zěnme shuō huà, wǎngwǎng kěyǐ bǐjiào zhǔnquè de pànduànchū tā shì yí ge shénmeyàng de rén. Yǒude rén xīnli zěnme xiǎng, zuǐ shang jiù zěnme shuō, jíshǐ shì biérén de quēdiǎn, tā yě huì zhíjiē shuō chulai, zhèyàng de rén suīrán hěn chéngshí, dànshì kěnéng huì yǐnqǐ biérén de wùhuì; yǒude rén suīrán yě kàndàole biérén de quēdiǎn, dàn què bú huì zhíjiē zhǐ chulai, ér shì tōngguò biéde fāngfǎ lái tíxǐng, ràng tā rènshídào zìjǐ de quēdiǎn, zhèyàng de rén huì ràng rén juéde gèng yǒuhǎo.

5

　　Wúlùn zuò shénme shìqing, dōu yào zhùyì fāngfǎ, xuéxí yóuqí shì zhèyàng. Shǐyòng zhèngquè de fāngfǎ, wǒmen zuòqǐ shì lái néng "shì bàn gōng bèi", yě jiù shì shuō, néng jiéyuē shíjiān, yòng jiào shǎo de lìqi, qǔdé gèng hǎo de xiàoguǒ. Xiāngfǎn, rúguǒ fāngfǎ bú duì, kěnéng huā wǔ bèi shènzhì shí bèi de shíjiān dōu bù néng wánchéng rènwu, jiéguǒ biànchéngle "shì bèi gōng bàn". Yǒu yì diǎn xūyào tíxǐng dàjiā, biérén de fāngfǎ yěxǔ hěn yǒuxiào, dànshì bìng bù yídìng shìhé zìjǐ. Yīncǐ, wǒmen yīnggāi zài tīngqǔ biérén yìjiàn de tóngshí, zǐxì kǎolǜ yíxià, zài gēnjù bù tóng de qíngkuàng xuǎnzé bù tóng de fāngfǎ, zhèyàng cái néng dádào zuì hǎo de xiàoguǒ.

注释 Notes

4 名量词重叠　Reduplication of Nouns/Measure Words

　　名量词重叠，常用"AA"格式，表示"每"的意思。名量词重叠后可做主语、主语的定语和状语，但不可做宾语和宾语的定语。例如：

A noun or measure word is often reduplicated in the form of "AA" to mean "each, every". The head word modified by a reduplicated measure word can serve as the subject, the attribute of the subject or the adverbial, but not the object, nor the attribute of the object. For example:

（1）人人都会使用语言，但是怎么用语言把话说好却是一门艺术。

（2）白先生天天都去那家咖啡馆坐一会儿，因为他觉得，工作了一天，只有安静的地方才能让他得到放松。

（3）做好小事是完成大事的第一步，因此，件件小事都应该被看成是一次学习的机会。

● **练一练** Practice

完成句子 Complete the sentences.

（1）＿＿＿＿＿＿＿＿＿＿＿＿＿＿，就都可以变得越来越优秀。（人人）

（2）这个作家的语言很幽默，＿＿＿＿＿＿＿＿＿＿＿＿＿＿。（本本）

（3）＿＿＿＿＿＿＿＿＿，这为找工作的毕业生提供了很多机会。（年年）

5 相反

"相反"，连词，用在后面句子的开头或中间，表示转折或递进的意思。例如：

The conjunction "相反" is used at the beginning or in the middle of the following sentence to indicate a contrary or further meaning. For example:

（1）如果还是使用以前的办法，不但不能解决任何问题，相反，会使问题变得更复杂。

（2）使用正确的方法，我们做起事来能"事半功倍"……相反，如果方法不对，可能花五倍甚至十倍的时间都不能完成任务，结果变成了"事倍功半"。

"相反"，形容词，表示事物的两个方面互相对立或排斥，可做谓语，也可修饰名词。在修饰名词时，后面必须带"的"。例如：

The adjective "相反" indicates the two aspects of something oppose or contradict each other. It can serve as the predicate or modify a noun. When modifying a noun, it must be followed by "的". For example:

（3）调查结果和他们想的几乎完全相反，他们不得不改变原来的计划。

（4）我本来以为任务能顺利完成，没想到事情正好向相反的方向发展。

● **练一练** Practice

完成句子 Complete the sentences.

（1）一个正确的选择，往往是成功的开始，＿＿＿＿＿＿＿。（相反）

（2）姐姐非常安静，很少说话，＿＿＿＿＿＿＿。（相反）

（3）老年人总是喜欢回忆自己的过去，＿＿＿＿＿＿＿。（相反）

■ 根据课文内容回答问题 Answer the questions based on the texts.

课文4：❶ 课文中提到了几种说话方式？你喜欢哪一种？为什么？

❷ 根据课文，你可以知道人们的说话方式可能和什么有关系？

课文5：❸ 你认为你的学习方法是"事半功倍"还是"事倍功半"？

❹ 对于别人的意见，什么态度是正确的？

练习
Exercises　**1**　复述　Retell the dialogues.

课文1：王经理的语气：

其实，规定和经验不完全是正确的。……

课文2：高老师的语气：

知识不是只在课本上，还在生活中。……

课文3：王教授的语气：

世界上没有完全相同的两片叶子，学生也是这样。……

2　选择合适的词语填空　Choose the proper words to fill in the blanks.

引起　　也许　　仔细　　作用　　可惜

❶ 她表示要放弃这个去国外留学的机会，同学们都觉得很＿＿＿＿。

❷ 如果你觉得心烦，可以吃点儿蛋糕或者巧克力，这些甜的东西＿＿＿＿会给你带来好心情。

❸ 现在网上银行的＿＿＿＿越来越大。有了它，网上购物就方便多了，还可以在网上交水费、电费等。

❹ 你现在做出的每一个决定都有可能影响到你的将来。所以，做决定之前最好＿＿＿＿考虑一下。

❺ 事情的原因和结果往往是互相联系的。一定的原因会＿＿＿＿一定的结果，有时候一件事情的结果可能又是另外一件事情的原因。

详细　　解释　　商量　　力气　　直接

❻ A: 咱们在这儿休息一会儿吧，我没＿＿＿＿爬了。
　　B: 一看就知道你不经常锻炼。

❼ A: 刚才手机没电了，听说你打电话找我了，有什么事吗？
　　B: 大家在教室＿＿＿＿晚会节目的事情呢，就差你了。

❽ A: 经理，新的计划发您信箱了，您看了吗？
　　B: 内容太简单，不够＿＿＿＿，明天我们得再开会商量商量。

❾ A: 你有没有李律师的电话号码？我想问他几个法律方面的问题。
　　B: 有，我发到你手机上，你＿＿＿＿跟他联系就行。

❿ A: 怎么样？事情解决了吧？
　　B: 对，我向那位顾客＿＿＿＿了这次不能及时送货的原因，她表示可以理解。

扩展
Expansion

同字词 Words with the Same Character

用：信用卡、作用、使用

（1）有些年轻人申请了信用卡，但在购物时却没有考虑自己的经济能力，最后不能按时还银行的钱。

（2）有些故事不仅能给人带来快乐，还有教育的作用，能使人们重新认识到一些问题。

（3）医生提醒人们，在使用感冒药之前，一定要仔细阅读说明书。

● **做一做** Drills

选词填空 Fill in the blanks with the words given.

信用卡　　作用　　使用

❶ 很多葡萄酒的瓶子都是深色的，这是因为太阳光会让酒的味道发生改变，而深色酒瓶能起到保护_____。

❷ A：我的钱包怎么不见了？钱和_____都在里面呢。

　B：你先别着急，仔细回忆一下，你最后在哪儿用过它？

❸ 新闻往往_____数字来说明问题，所以这些数字必须是准确的，只有这样，才能证明新闻的"真"，才是对读者负责。

运用
Application

1 **双人活动** Pair Work

互相了解对方的说话方法，完成调查表。

Learn about your partner's ways of expressing himself/herself and complete the questionnaire below.

	问	答
1	你认为自己会说话吗？能把话说好吗？	
2	要是让你在一个很大的晚会上讲话，你会紧张吗？为什么？	
3	在心情不好的时候，你最可能跟谁发脾气？为什么？	
4	面对别人的缺点，你会怎么帮他指出？	
5	如果你不同意别人的意见，你会怎么办？	
6	在说话方面，哪些地方你需要改变和提高？	

2 小组活动　Group Work

在工作和学习过程中，每个人都有自己解决困难、完成工作的好方法。向小组成员介绍一下你用过哪些事半功倍的好方法。（最少用四个下面的结构）

Each of you has your own way to solve problems and fulfill tasks during work and study. Tell your group members about the effort-saving yet fruitful methods you've used. (Use at least four of the following structures.)

a. 规定和经验是死的
b. 用心去总结
c. 用最简单的方法
d. 根据不同的特点

e. 比较准确地判断
f. 引起别人的误会
g. 用较少的力气
h. 达到最好的效果

文化　CULTURE

孔子"因材施教"　Confucius' Individualized Teaching

孔子（公元前551—公元前479）是中国古代著名的教育家和思想家。他教育学生的思想和方法，对中国的教育产生了深远的影响，"因材施教"就是其中一个方面。孔子有两个学生，一个叫子路，一个叫冉有。这两个学生分别问了孔子同样的问题——"如果听到一种正确的意见，可以马上去做吗？"，但是孔子对这同一个问题的回答却不同。子路做事情考虑得不够仔细，所以孔子让他跟父亲、哥哥再商量一下；冉有做事常常犹豫，所以孔子鼓励他应该马上去做。孔子的故事告诉我们一个道理，老师应该根据学生的特点和能力，选择不同的教育方法，因材施教，这样才能使学生发挥长处，弥补不足。

Confucius (551 B.C.–479 B.C.) was an eminent educator and thinker of ancient China whose ideas and methods of teaching have exerted a far-reaching influence on the development of education in China. "Individualized teaching" is among these ideas and methods. Zilu and Ranyou were Confucius's disciples. Once they asked Confucius the same question: "If I'm given a good piece of advice, should I put it into effect immediately?" Confucius gave them different answers to this same question. For Zilu, who frequently demonstrated a lack of careful consideration, Confucius asked him to consult his father and brother before doing it; for Ranyou, however, Confucius encouraged him to do it immediately as he was always hesitant in action. The story tells us that a teacher should choose different ways of education for different students according to their characteristics and aptitudes so that each student's strengths are brought into play and their weaknesses made up for.

Hēzhe   chá kàn   jīngjù
喝着茶看京剧
Drink tea while watching Beijing opera

热身 **1**
Warm-up

给下面的词语选择对应的图片，并用这个词语根据图片说一个句子。
Match the pictures with the words and describe the pictures with sentences using the words.

chī jīng	kāixīn	guānzhòng
❶ 吃惊_____	❷ 开心_____	❸ 观众_____

tǎolùn	cāntīng	hùliánwǎng
❹ 讨论_____	❺ 餐厅_____	❻ 互联网_____

2
你喜欢看京剧吗？你认为京剧怎么样？
Do you like watching Beijing opera? What do you think of Beijing opera?

衣服	动作	音乐	故事
很漂亮 ☐	jīngcǎi 很精彩 ☐	很美 ☐	yǒuqù 有趣 ☐
很复杂 ☐	没意思 ☐	不好听 ☐	很难懂 ☐
样子很特别 ☐	wēixiǎn 很危险 ☐	很慢 ☐	xiàndài 离现代 生活很远 ☐

课文 **1** 小雨和小夏在聊小夏的爷爷表演京剧的情况 🔊 *13-1*

Texts

小雨：小夏，你爷爷京剧唱得真专业，我还以为他是京剧演员呢。

小夏：对啊，他本来就是京剧演员，年轻时在我们那儿很有名，深受观众们的喜爱。

小雨：你爷爷一定对京剧有着很深厚的感情。

小夏：是呀，他8岁就开始上台演出，到现在大概唱了60多年了，他对这门艺术的喜爱从来没有改变过。

小雨：这么说你喜欢听京剧也是受了你爷爷的影响？

小夏：我小时候经常去看他的演出。平时他还给我讲很多京剧里的历史故事，让我学到了很多知识。

生词

1. 京剧　jīngjù
n. Beijing opera
2. 演员　yǎnyuán
n. actor/actress
3. 观众　guānzhòng
n. audience
4. 厚　hòu
adj. deep, profound
5. 演出　yǎnchū
v. to perform, to put on (a show)
6. 大概　dàgài
adv. roughly, approximately

拼音课文 Texts in *Pinyin*

1. Xiǎoyǔ hé Xiǎo Xià zài liáo Xiǎo Xià de yéye biǎoyǎn jīngjù de qíngkuàng

Xiǎoyǔ: Xiǎo Xià, nǐ yéye jīngjù chàng de zhēn zhuānyè, hái yǐwéi tā shì jīngjù yǎnyuán ne.

Xiǎo Xià: Duì a, tā běnlái jiù shì jīngjù yǎnyuán, niánqīng shí zài wǒmen nàr hěn yǒumíng, shēn shòu guānzhòngmen de xǐ'ài.

Xiǎoyǔ: Nǐ yéye yídìng duì jīngjù yǒuzhe hěn shēnhòu de gǎnqíng.

Xiǎo Xià: Shì a, tā bā suì jiù kāishǐ shàng tái yǎnchū, dào xiànzài dàgài chàngle liùshí duō nián le, tā duì zhè mén yìshù de xǐ'ài cónglái méiyǒu gǎibiànguo.

Xiǎoyǔ: Zhème shuō nǐ xǐhuan tīng jīngjù yě shì shòule nǐ yéye de yǐngxiǎng?

Xiǎo Xià: Wǒ xiǎoshíhou jīngcháng qù kàn tā de yǎnchū. Píngshí tā hái gěi wǒ jiǎng hěn duō jīngjù li de lìshǐ gùshi, ràng wǒ xuédàole hěn duō zhīshi.

2　小雨和马克在聊京剧　　13-2

小雨：真没想到你一个来自美国的外国留
　　　学生，能把京剧唱得这么好。

马克：我常常跟着电视学唱京剧，然后一
　　　遍一遍地练习，偶尔跟中国人一起
　　　唱上几句。

小雨：难道你从来没有接受过京剧方面的
　　　专门教育吗？

马克：别吃惊，因为我以前学习过音乐，
　　　有一些音乐基础，又对京剧这种表
　　　演艺术非常感兴趣，所以能比较容
　　　易地学会它的唱法。

小雨：你真厉害！竟然连很多中国人都听
　　　不懂的京剧也能学会。我还是比较
　　　喜欢听流行音乐。

马克：那是你不了解京剧的唱法。在音乐
　　　方面，京剧给了我很多新的想法。
　　　我还把京剧的一些特点增加到了自
　　　己的音乐中，达到了很好的效果。

生词

7. 来自　　láizì
v. to be from

8. 遍　　　biàn
m. *(denoting an action from beginning to end)* time

9. 偶尔　　ǒu'ěr
adv. occasionally, once in a while

10. 吃惊　chī jīng
v. to be surprised, to be shocked

11. 基础　jīchǔ
n. basis, foundation

12. 表演　biǎoyǎn
v. to act, to perform

---

2. Xiǎoyǔ hé Mǎkè zài liáo jīngjù

Xiǎoyǔ: Zhēn méi xiǎngdào nǐ yí ge láizì Měiguó de wàiguó liúxuéshēng, néng bǎ jīngjù chàng de zhème hǎo.

Mǎkè: Wǒ chángcháng gēnzhe diànshì xué chàng jīngjù, ránhòu yí biàn yí biàn de liànxí, ǒu'ěr gēn Zhōngguó rén yìqǐ chàngshang jǐ jù.

Xiǎoyǔ: Nándào nǐ cónglái méiyǒu jiēshòuguo jīngjù fāngmiàn de zhuānmén jiàoyù ma?

Mǎkè: Bié chī jīng, yīnwèi wǒ yǐqián xuéxíguo yīnyuè, yǒu yìxiē yīnyuè jīchǔ, yòu duì jīngjù zhè zhǒng biǎoyǎn yìshù fēicháng gǎn xìngqù, suǒyǐ néng bǐjiào róngyì de xuéhuì tā de chàngfǎ.

Xiǎoyǔ: Nǐ zhēn lìhai! Jìngrán lián hěn duō Zhōngguó rén dōu tīngbudǒng de jīngjù yě néng xuéhuì. Wǒ háishi bǐjiào xǐhuan tīng liúxíng yīnyuè.

Mǎkè: Nà shì nǐ bù liǎojiě jīngjù de chàngfǎ. Zài yīnyuè fāngmiàn, jīngjù gěile wǒ hěn duō xīn de xiǎngfǎ. Wǒ hái bǎ jīngjù de yìxiē tèdiǎn zēngjiādàole zìjǐ de yīnyuè zhōng, dádàole hěn hǎo de xiàoguǒ.

3 李老师和校长在谈工作　🔊 *13-3*

李老师：校长，因为外国留学生不了解中国文化，有时候会影响他们和中国人之间的正常交流，甚至还可能引起误会，带来麻烦，所以我们想申请举办一次中国传统文化节活动。

校　长：你们的想法很好，举办文化节活动，一方面能让各国学生更好地了解中国，另一方面也能为学生们提供互相交流和学习的机会。

李老师：谢谢您的支持！

校　长：上次的春游活动你们办得非常有趣，大家都玩儿得很开心，这次活动继续由你负责，相信也一定会很成功。

李老师：我们回去就开会讨论，星期五之前把详细的计划书发给您。

校　长：好的，准备过程中有什么问题，你们可以直接来找我。

生词

13. 正常　zhèngcháng
    adj. normal, regular
14. 申请　shēnqǐng
    v. to apply for
15. 有趣　yǒuqù
    adj. interesting, fun
16. 开心　kāixīn
    adj. happy, glad
17. 继续　jìxù
    v. to go on, to continue
18. 由　yóu
    prep. by (sb.)
19. 讨论　tǎolùn
    v. to discuss, to talk over

3. Lǐ lǎoshī hé xiàozhǎng zài tán gōngzuò

Lǐ lǎoshī: Xiàozhǎng, yīnwèi wàiguó liúxuéshēng bù liǎojiě Zhōngguó wénhuà, yǒushíhou huì yǐngxiǎng tāmen hé Zhōngguó rén zhījiān de zhèngcháng jiāoliú, shènzhì hái kěnéng yǐnqǐ wùhui, dàilái máfan, suǒyǐ wǒmen xiǎng shēnqǐng jǔbàn yí cì Zhōngguó chuántǒng wénhuà jié huódòng.

Xiàozhǎng: Nǐmen de xiǎngfǎ hěn hǎo, jǔbàn wénhuà jié huódòng, yì fāngmiàn néng ràng gè guó xuésheng gèng hǎo de liǎojiě Zhōngguó, lìng yì fāngmiàn yě néng wèi xuéshengmen tígōng hùxiāng jiāoliú hé xuéxí de jīhuì.

Lǐ lǎoshī: Xièxie nín de zhīchí!

Xiàozhǎng: Shàng cì de chūnyóu huódòng nǐmen bàn de fēicháng yǒuqù, dàjiā dōu wánr de hěn kāixīn, zhè cì huódòng jìxù yóu nǐ fùzé, xiāngxìn yě yídìng huì hěn chénggōng.

Lǐ lǎoshī: Wǒmen huíqu jiù kāi huì tǎolùn, xīngqīwǔ zhīqián bǎ xiángxì de jìhuàshū fāgěi nín.

Xiàozhǎng: Hǎo de, zhǔnbèi guòchéng zhōng yǒu shénme wèntí, nǐmen kěyǐ zhíjiē lái zhǎo wǒ.

注释 **1** 大概
Notes

"大概"，副词，表示对数量、时间不太精确的估计，也表示对情况的推测，有很大的可能性；也可以是形容词，表示不很准确或者不很详细。例如：

The adverb "大概" is used for approximate speculation about an amount, time or a situation, indicating a big possibility. The adjective "大概" means "not accurate or detailed". For example:

（1）他8岁就开始上台演出，到现在大概唱了60多年了，他对这门艺术的喜爱从来没有改变过。

（2）你的这个关于举办传统文化节活动的计划，我想校长大概会同意。

（3）经过这段时间的学习，他的汉语水平提高了不少，不但可以听懂一些较短的句子，还可以进行简单的交流，现在即使不用翻译也能理解大概的意思了。

● 练一练 Practice

完成对话或句子 Complete the dialogues or sentence.

（1）A: 师傅，我去火车站。_____？（大概）

B: 现在不堵车，估计二十分钟就能到。

（2）A: 请问附近有银行吗？

B: 有一个交通银行，_____。（大概）

（3）读书应该有选择，有些书只要快速阅读_____，

有些书却需要多花些时间来仔细阅读。（大概）

比一比 Compare 大概—也许

相同点：Similarities:

两者都是副词，表示对情况的推测、估计。★

Both are adverbs indicating a speculation or estimation about a certain situation.

他总说自己特别喜欢看书，可是这本书他看了一个月才看到第5页，大概/也许是因为工作太忙吧。但我觉得一个真正爱看书的人总能找出时间来阅读。

不同点：Differences:

1. 表示 ★ 这个意思时，"大概" 判断性比较强，肯定的意思较重；而"也许" 表示猜测，把握性较小。

In case ★, "大概" expresses a stronger judgment and a more positive meaning, while "也许" indicates a guess and a smaller possibility.

老张这个人一直很准时，开会从来不迟到。今天到现在还没来，大概是有什么事情，你打个电话问问他吧。

这次电影艺术节也许会在北京举行。

2. 表示★这个意思时，"大概"可以表示对数量的估计；"也许"没有此用法。

In case ★, "大概" can signify an estimation of quantity, while "也许" has no such usage.

大概有三分之二的人反对这样做。

3. 表示★这个意思时，"也许"可以表示说话人对自己未来的打算不确定；"大概"没有此用法。

In case ★, "也许" can indicate that the speaker is not sure about his/her future plans, while "大概" has no such usage.

我原来想学习法律，不过后来我发现自己对新闻更感兴趣，也许以后我会成为一名记者。

4. "大概"还可以是形容词，属性词，表示不十分精确或不十分详尽；"也许"没有此用法。

"大概" can also be used as an adjective or attributive word meaning "not quite accurate or detailed", while "也许" cannot be used this way.

不管做什么事情，最好提前做计划，不用安排得特别详细，但必须有一个大概的想法。

● 做一做 Drills

选词填空 Tick or cross

	大概	也许
（1）这次调查发现，超过70%的儿童更愿意让爸爸给自己读书。为什么会出现这种情况？_____是因为父亲平时陪孩子玩儿的时间太少。	✓	✓
（2）穷人的孩子早当家，他们_____没有很多钱，却可能比富人家的孩子经历得更多。	✗	✓
（3）师傅，我去机场。_____要多长时间？半小时能到吗？		
（4）小孩儿的脾气变化很快。刚才还对你哭个不停，_____一下子就没事了，好像什么都没发生过。		
（5）您最近在拍哪部电影？能谈谈电影的_____内容吗？		

2 偶尔

"偶尔"，副词，表示情况发生的次数非常少。例如：

The adverb "偶尔" means something seldom occurs. For example:

（1）我常常跟着电视学唱京剧，然后一遍一遍地练习，偶尔跟中国人一起唱上几句。

（2）我们调查的近7000名上班族中，有64%的人经常加班，28%偶尔加班，而每次加班时间超过两小时的竟然有59%。

（3）三叶草的叶子一般为三个，但偶尔也会出现四个叶子的，这种四个叶子的叫"四叶草"，因为很少见，所以有人说，找到这种"四叶草"的人会得到幸福。

● 练一练 Practice

完成句子 Complete the sentences.

（1）为了减肥，我几乎每天晚上都坚持跑步，_____。（偶尔）

（2）我平时上班忙，很少有时间运动。但是周末我会约朋友们见面，一块儿去打篮球或者踢足球，_____。（偶尔）

（3）她和丈夫很少在家吃饭。平时上班的时候两个人都在公司吃，周末不上班的时候就一起去饭馆儿吃，_____。（偶尔）

3 由

"由"，介词，引出负责做某事的人。例如：

The preposition "由" introduces the person in charge of something. For example:

（1）按照规定，这件事情应该由王大夫负责。

（2）"幽默"这个词最早是由林语堂先生翻译过来的。

（3）上次的春游活动你们办得非常有趣，大家都玩儿得很开心，这次活动继续由你们负责，相信也一定会很成功。

● 练一练 Practice

完成对话或句子 Complete the dialogue or sentences.

（1）A: 这件事不是马经理专门负责吗？

B: 他已经离开公司了，现在_____。（由）

（2）这篇文章是介绍京剧的，＿＿＿＿＿＿＿＿＿＿＿＿＿＿＿＿。前一部分
　　介绍京剧的发展历史，第二部分主要谈京剧的发展方向。（由）

（3）上次的秋游活动小夏组织得不错，大家都玩儿得很高兴，这次
　　＿＿＿＿＿＿＿＿＿＿＿＿＿＿＿＿＿＿。（由）

根据课文内容回答问题 Answer the questions based on the texts.

课文1：① 小夏的爷爷多大年纪了？京剧唱得怎么样？唱了多长时间了？
　　　　② 小夏受了爷爷哪些影响？

课文2：③ 马克学过京剧吗？他怎么学的？他为什么京剧唱得那么好？
　　　　④ 京剧给了马克哪些新的想法？

课文3：⑤ 为什么李老师想申请举办中国传统文化节活动？
　　　　⑥ 为什么校长决定这次活动继续由李老师负责？

课文 4 Texts　🖸 13-4

　　筷子在中国大约已经有3000多年的历史了。对外国人来说，使用筷子吃饭并不容易，所以，国外的一些中国餐厅在放筷子的纸袋上会提供使用筷子的详细说明。不过，如果你认为每个中国人都会正确使用筷子，那就错了。有人在互联网上专门进行过调查，结果发现每六个中国人中就有一个使用筷子的方法是错误的。如果你想正确使用筷子，那就好好练习吧。

生词

20. 大约　dàyuē
adv. approximately, about

21. 餐厅　cāntīng
n. restaurant

22. 纸袋　zhǐdài
n. paper bag

　　袋（子）dài（zi）
n. bag, sack

23. 互联网　hùliánwǎng
n. Internet

24. 进行　jìnxíng
v. to conduct, to carry out

25. 错误　cuòwù
adj. wrong

5 🖸 13-5

茶在中国有几千年的历史，是中国最常见的饮料。最早的时候，茶只是被当作一种药，而不是饮料。后来，随着人们对茶的认识的加深，慢慢开始把它当作解渴的饮料，这才慢慢有了中国的茶文化。在中国，喝茶是一种十分普遍的生活习惯。对很多中国人来说，喝茶已成为他们生活中不可缺少的一部分。但是有的饮料虽然名字叫"茶"，却并不是真正的茶。比如广东省的人爱喝的"凉茶"，它的味道稍微有点儿苦，其实是一种用中药做成的饮料。

生词

26. 随着 suízhe
prep. along with, as

27. 十分 shífēn
adv. very, extremely

28. 普遍 pǔbiàn
adj. universal, common

29. 部分 bùfen
n. part

30. 稍微 shāowēi
adv. a little, slightly

31. 苦 kǔ
adj. bitter

32. 省 shěng
n. province

专有名词

广东省 Guǎngdōng Shěng
Guangdong, a province of China

拼音课文 Texts in *Pinyin*

4

Kuàizi zài Zhōngguó dàyuē yǐjīng yǒu sānqiān duō nián de lìshǐ le. Duì wàiguó rén lái shuō, shǐyòng kuàizi chī fàn bìng bù róngyi, suǒyǐ, guówài de yìxiē Zhōngguó cāntīng zài fàng kuàizi de zhǐdài shang huì tígōng shǐyòng kuàizi de xiángxì shuōmíng. Búguò, rúguǒ nǐ rènwéi měi ge Zhōngguó rén dōu huì zhèngquè shǐyòng kuàizi, nà jiù cuò le. Yǒu rén zài hùliánwǎng shang zhuānmén jìnxíngguo diàochá, jiéguǒ fāxiàn měi liù ge Zhōngguó rén zhōng jiù yǒu yí ge shǐyòng kuàizi de fāngfǎ shì cuòwù de. Rúguǒ nǐ xiǎng zhèngquè shǐyòng kuàizi, nà jiù hǎohāor liànxí ba.

5

Chá zài Zhōngguó yǒu jǐqiān nián de lìshǐ, shì Zhōngguó zuì chángjiàn de yǐnliào. Zuì zǎo de shíhou, chá zhǐshì bèi dàngzuò yì zhǒng yào, ér bú shì yǐnliào. Hòulái, suízhe rénmen duì chá de rènshí de jiāshēn, mànmàn kāishǐ bǎ tā dàngzuò jiě kě de yǐnliào, zhè cái mànmàn yǒule Zhōngguó de chá wénhuà. Zài Zhōngguó, hē chá shì yì zhǒng shífēn pǔbiàn de shēnghuó xíguàn. Duì hěn duō Zhōngguó rén lái shuō, hē chá yǐ chéngwéi tāmen shēnghuó zhōng bù kě quēshǎo de yí bùfen. Dànshì yǒude yǐnliào suīrán míngzi jiào "chá", què bìng bú shì zhēnzhèng de chá. Bǐrú Guǎngdōng Shěng de rén ài hē de "liángchá", tā de wèidào shāowēi yǒudiǎnr kǔ, qíshí shì yì zhǒng yòng zhōngyào zuòchéng de yǐnliào.

注释
Notes **4** 进行

"进行"，动词，表示从事某种活动、工作等。多用在双音节动词前边，后边的动词表示的一定是比较正式、严肃的行为，暂时性的和日常生活中的行为一般不用"进行"。例如：

The verb "进行" means to engage in a certain activity or work, etc. It is usually used before a disyllabic verb denoting a formal, serious behavior. Temporary or everyday behaviors are usually not used with "进行". For example:

（1）大家请注意，现在休息十五分钟，十点半会议继续进行。

（2）有人在互联网上专门进行过调查，结果发现每六个中国人中就有一个使用筷子的方法是错误的。

（3）成功的语言学习者，在学习方面往往都是积极主动的，他们会主动与他人进行交流，并且请别人帮助他们改错。

● **练一练** Practice

完成对话或句子 Complete the dialogues or sentence.

（1）A: 都六点了，会议怎么还没结束？

　　B: _____。（进行）

（2）A: 听说你要申请去国外留学，准备得怎么样了？

　　B: _____。（进行）

（3）_____。结果发现，在接受调查的学生中，有超过80％的人希望自己能有机会出国留学，但这其中只有大约20％的人开始申请国外学校。　　（进行）

5 随着

"随着"，介词，表示一件事情是另一件事情发生的条件，后面一般是带修饰语的双音节动词。例如：

The preposition "随着" indicates something is the condition under which something else happens. It is usually followed by a disyllabic verb modified by an adjunct. For example:

（1）随着社会的发展，京剧也在改变，以适应不同年龄观众的需要。

（2）有些人喜欢为自己的生活做长远的计划。但是，随着年龄的增长，他们会发现生活总是在不停地变化，生活往往不会按照我们的计划来进行。

（3）最早的时候，茶只是被当作一种药，而不是饮料。后来，随着人们对茶的认识的加深，慢慢开始把它当作解渴的饮料，这才慢慢有了中国的茶文化。

● 练一练 Practice

完成句子 Complete the sentences.

（1）_____，越来越多的人喜欢在网上写日记。 （随着）

（2）_____，美的标准一直在变。过去有的时候人们以胖为美，现在的人以瘦为美。 （随着）

（3）小时候，我们往往会有许多浪漫的理想。但是_____，我们天天忙于工作和生活，那些梦慢慢地离我们远去了。 （随着）

■■■ 根据课文内容回答问题 Answer the questions based on the texts.

课文4：❶ 为什么国外的中国餐厅会提供使用筷子的详细说明？
　　　 ❷ 关于中国人使用筷子的调查结果是什么？

课文5：❸ 茶开始时被用来做什么？后来呢？
　　　 ❹ 广东人爱喝的凉茶是一种什么样的饮料？

练习
Exercises

1 复述 Retell the dialogues.

课文1：小夏的语气：
　　　我爷爷对京剧有着很深厚的感情。……

课文2：马克的语气：
　　　我从来没有接受过京剧方面的专门教育，……

课文3：校长的语气：
　　　李老师想申请举办一次中国文化节活动。……

2 选择合适的词语填空 Choose the proper words to fill in the blanks.

演出　　演员　　表演　　普遍　　苦

① 今天的晚会太精彩了，特别是那些外国留学生_____的中国功夫，动作既标准又好看，非常棒。

② 这次_____举办得非常成功，吸引了不少当地的观众。

③ 凉茶虽然味道_____，但对身体很有好处。另外，凉茶热着喝效果也很不错。

④ 每天晚上，公园里都有一群老人在唱京剧。他们很喜欢唱京剧，虽然不是专业的_____，不过，他们唱得不错，听起来很有味道。

⑤ 很多大学生毕业后，选择的第一个职业，往往和自己的专业没什么关系，这种情况现在越来越_____。

稍微　　基础　　厚　　遍　　继续

⑥ A: 这本小说这么_____，什么时候才能看完啊?
B: 每天晚上看十几页，差不多一个月就可以看完。

⑦ A: 你学得可真快!
B: 我小时候学过两年的舞，有点儿_____。

⑧ A: 材料整理好了没?
B: 差不多了，我再检查一_____就给您送过去。

⑨ A: 你想好了没? 是_____读书还是参加工作?
B: 我考虑过了，我想先工作两年，然后再考研究生。

⑩ A: 孙小姐，我们大概什么时候出发?
B: 大家先回房间_____休息一下，半个小时后我们楼下集合。

扩展
Expansion

同字词　Words with the Same Character

量: 商量、数量、质量

（1）我认真考虑了一个晚上，也打电话和父母商量过了，最后还是决定不去那家公司了。我想继续留在北京，看看还有没有别的机会。

（2）广告虽然给我们带来很多方便，但数量太多也会让人觉得讨厌。

（3）如果一个星期内发现有任何质量问题，我们都可以免费为您换货，但是购物小票一定不能丢。

做一做 Drills

选词填空　Fill in the blanks with the words given.

商量　　数量　　质量

❶ 大熊猫样子非常可爱，深受人们喜爱。但是_____不多，全世界一共才有一千多只。

❷ 了解顾客的实际需要十分重要，一样东西，不管它_____多好、多便宜，如果顾客完全不需要它，我们就很难把它卖出去。

❸ A: 你们两个怎么样了？打算什么时候结婚？

B: 我们_____过了，就明年十月一号。

运用 1 双人活动　Pair Work
Application

互相了解对方关于京剧的看法，完成调查表。

Learn about each other's opinions on Beijing opera and complete the questionnaire below.

	问	答
1	你看过京剧吗？	
2	你认为京剧这种表演艺术怎么样？	
3	你认为京剧目前不太流行的原因是什么？	
4	你认为有必要让更多的人了解京剧吗？为什么？	
5	你们国家有没有比较有名的"剧"？有哪些跟京剧不一样的地方？	
6	猜猜"台上一分钟，台下十年功"这句话是什么意思？	

2 小组活动　Group Work

京剧、筷子和茶都是中国传统文化的重要组成部分，请向小组成员简单介绍一下其中的一种。（最少用四个下面的结构）

Beijing opera, chopsticks and tea are all important parts of traditional Chinese culture. Briefly introduce one of them to your group members. (Use at least four of the following structures.)

a. 深受大家的喜爱　　　　　　e. 提供互相交流和学习的机会

b. 有着很深厚的感情　　　　　f. 看起来容易做起来难

c. 一遍一遍地练习　　　　　　g. 十分普遍的生活习惯

d. 了解中国文化　　　　　　　h. 生活中不可缺少的一部分

文化　CULTURE

中国的筷子文化　Chopsticks in Chinese Culture

　　筷子是由中国古代汉族人发明的一种非常具有民族特色的进食工具。中国人开始使用筷子，大约在三千多年以前。筷子看起来只是非常简单的两根小细棒，但它有挑、拨、夹、拌、扒等功能，而且使用方便，价廉物美。筷子是中餐中最主要的进餐用具。

　　筷子要直、齐，而且一定要成双成对使用，体现了中国人的中正、和为贵、团结的文化观念。使用筷子需要注意礼节，比如吃饭时，应请长辈或客人先下筷子，不能把筷子含在嘴里、不能用筷子敲打碗盘、不能用筷子对着人或用餐时拿筷子指手画脚、不能将筷子插入碗里的米饭或面条中等。

Chopsticks are a kind of eating utensil with distinct ethnic characteristics created by the ancient Han Chinese. The history of chopsticks used by Chinese dates back to over 3,000 years ago. Two simple and thin sticks as they appear to be, a pair of chopsticks can fulfill plenty of tasks, such as picking, poking, carrying, mixing and digging. They are easy to use and not expensive at all. Chopsticks are the major utensils at a Chinese dinner table.

Used in pairs, chopsticks are straight and with the same length, reflecting the concepts of uprightness, harmony and solidarity in Chinese culture. Certain etiquette should be observed when using chopsticks, for instance, let the elderly or guests use their chopsticks to taste food first, do not hold chopsticks in the mouth, do not beat bowls or dishes with them, do not point them at other people or make gestures with them, do not stick them into a bowl of rice or noodles, etc.

14

Bǎohù dìqiú mǔqīn
保护地球母亲
Protect our Mother Earth

给下面的词语选择对应的图片，并用这个词语根据图片说一个句子。

Match the pictures with the words and describe the pictures with sentences using the words.

  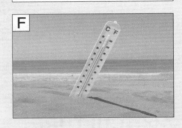

wēndù
① 温度＿＿＿＿＿

dìqiú
② 地球＿＿＿＿＿

lājītǒng
③ 垃圾桶＿＿＿＿＿

sùdù
④ 速度＿＿＿＿＿

wūrǎn
⑤ 污染＿＿＿＿＿

sùliàodài
⑥ 塑料袋＿＿＿＿＿

2

请填写环境污染调查问卷。

Fill out the questionnaire about environmental pollution.

1. 你身边的环境污染情况怎么样？
   A. 非常严重　　B. 不太严重　　C. 没有问题　　D. 不知道

2. 你认为现在环境污染的主要问题有哪些？（可多选）
   A. 水污染　　　B. 垃圾污染　　C. 空气污染　　D. 其他：＿＿＿＿＿

3. 你认为环境对你的生活的影响怎么样？
   A. 严重影响　　B. 有些影响　　C. 没有影响　　D. 没关系

4. 你经常使用一次性饭盒(hé)吗？
   A. 经常使用　　B. 偶尔使用　　C. 很少使用　　D. 从来不用

5. 如果在公共场所，你要把用过的饮料瓶、一次性饭盒等扔掉，但却找不到垃圾箱，你一般会怎么做？
   A. 马上扔掉　　　　　　　B. 没人注意时扔掉
   C. 放在不容易看到的地方　　D. 找到垃圾箱再扔

6. 你认为环境污染是由哪些原因造成的？（可多选）
   A. 大家不重视环保　　　　B. 国家不重视环境问题
   C. 乱扔垃圾　　　　　　　D. 人太多
   E. 其他：＿＿＿＿＿＿＿＿＿

课文
Texts

1 李进要出差，王静和李进在聊天儿 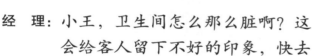 *14-1*

王静：这是明天你出差要带的毛巾、牙膏
　　　和牙刷，把它们放到箱子里吧。

李进：不用拿这些，宾馆都会免费提供
　　　的。再说，箱子已经够重的了！

王静：我当然知道宾馆里有。你不是一直
　　　说要保护环境吗？现在就从身边的
　　　小事做起吧。

李进：行，没问题。我明天上午10点的飞
　　　机，你能开车把我送到机场吗？

王静：那个时间路上堵车多严重啊！你还
　　　是坐地铁去机场吧。这样不仅省油
　　　钱，而且还不会污染空气。

李进：好，那就听你的。

生词

1. 出差　chū chāi
   v. to go on a business trip
2. 毛巾　máojīn
   n. towel
3. 牙膏　yágāo
   n. toothpaste
4. 重　zhòng
   adj. heavy, weighty
5. 行　xíng
   v. to be OK, to be all right
6. 省　shěng
   v. to save, to economize
7. 污染　wūrǎn
   v. to pollute

2 经理和服务员在谈工作 *14-2*

经　理：小王，卫生间怎么那么脏啊？这
　　　　会给客人留下不好的印象，快去
　　　　打扫一下。

服务员：经理，实在抱歉。今天店里太忙
　　　　了，我还没来得及打扫。

经　理：那张桌子下面还有一些空饮料瓶
　　　　子和纸盒子。

服务员：好的，我马上就去把它们扔掉。

经　理：以后你一定得注意这个问题，不
　　　　管客人多多，生意多忙，我们都
　　　　要保证餐厅干净卫生。

服务员：经理您放心，我一定以最快的速
　　　　度完成。不过咱们真的应该再多
　　　　招聘几个服务员了。

生词

8. 卫生间　wèishēngjiān
   n. restroom, bathroom
9. 脏　zāng
   adj. dirty
10. 抱歉　bàoqiàn
    v. to be sorry
11. 空　kōng
    adj. empty
12. 盒子　hézi
    n. box, case
13. 扔　rēng
    v. to throw away
14. 以　yǐ
    prep. via, by means of
15. 速度　sùdù
    n. speed

3 孙月和王静在聊关于环保的事情　　💿 14-3

孙月：早上听新闻说明天有一个叫"地球一小时"的活动，你对这个活动了解吗？

王静：这个活动年年都有，最早是从2007年开始的。明天晚上很多人都会关灯一小时，支持这个活动。你没看到门口的通知吗？我们公司也参加。

孙月：真的吗？太好了！既然明天晚上公司会关灯停电，那么我们肯定不用加班了。

王静：看你得意的样子！还以为你高兴是为了支持环保，原来是因为不用加班啊！

孙月：环境保护我当然也支持了！对了，为什么会有这么一个活动啊？

王静：其实目的挺简单的，就是提醒人们节约用电，希望引起人们对气候变暖问题的关注。

生词

16. 地球　dìqiú
n. earth, globe

17. 既然　jìrán
conj. since, as, now that

18. 停　tíng
v. to stop, to cease

19. 得意　déyì
adj. complacent, gloating

20. 目的　mùdì
n. aim, purpose

21. 暖　nuǎn
adj. warm

拼音课文 Texts in *Pinyin*

1. Lǐ Jìn yào chū chāi, Wáng Jìng hé Lǐ Jìn zài liáo tiānr

Wáng Jìng: Zhè shì míngtiān nǐ chū chāi yào dài de máojīn、yágāo hé yáshuā, bǎ tāmen fàngdào xiāngzi li ba.

Lǐ Jìn: Búyòng ná zhèxiē, bīnguǎn dōu huì miǎnfèi tígōng de. Zàishuō, xiāngzi yǐjīng gòu zhòng de le!

Wáng Jìng: Wǒ dāngrán zhīdào bīnguǎn li yǒu. nǐ bú shì yìzhí shuō yào bǎohù huánjìng ma? Xiànzài jiù cóng shēnbiān de xiǎo shì zuòqǐ ba.

Lǐ Jìn: Xíng, méi wèntí. Wǒ míngtiān shàngwǔ shí diǎn de fēijī, nǐ néng kāi chē bǎ wǒ sòngdào jīchǎng ma?

Wáng Jìng: Nàge shíjiān lù shang dǔ chē duō yánzhòng a! Nǐ háishi zuò dìtiě qù jīchǎng ba. Zhèyàng bùjǐn shěng yóu qián, érqiě hái bú huì wūrǎn kōngqì.

Lǐ Jìn: Hǎo, nà jiù tīng nǐ de.

2. Jīnglǐ hé fúwùyuán zài tán gōngzuò

Jīnglǐ: Xiǎo Wáng, wèishēngjiān zěnme nàme zāng a? Zhè huì gěi kèrén liúxià bù hǎo de yìnxiàng, kuài qù dǎsǎo yíxià.

Fúwùyuán: Jīnglǐ, shízài bàoqiàn. Jīntiān diàn li tài máng le, wǒ hái méi láidejí dǎsǎo.

Jīnglǐ: Nà zhāng zhuōzi xiàmiàn hái yǒu yìxiē kōng yǐnliào píngzi hé zhǐ hézi.

Fúwùyuán: Hǎo de, wǒ mǎshàng jiù qù bǎ tāmen rēngdiào.

注释 **1** 够
Notes

"够"，动词，表示数量上能满足。例如：

The verb "够" means being enough in quantity. For example:

（1）客人来了，中国人一定要把家里最好吃的东西拿出来请客人吃，并且让客人吃够、吃饱。

（2）医生提醒我们，睡觉时间太长并不好，有时甚至会引起头疼，一般睡够八小时就可以了。

"够"，副词，表示程度上达到了一定标准。"够+形容词"用于肯定句时，形容词后常加"的"。例如：

The adverb "够" means the degree has reached a certain standard. When "够 + Adj" is used in an affirmative sentence, the adjective is usually followed by "的". For example:

（3）不用拿这些，宾馆都会免费提供的。再说，箱子已经够重的了！

（4）有的人害怕失败，无法接受失败。这不仅是因为他们不够勇敢，还因为他们对自己要求太高。

● 练一练 Practice

完成对话或句子 Complete the dialogues or sentence.

（1）A: 一共两百三十九块七。您付现金还是刷卡？

B: _____，还是刷卡吧。（够）

Jīnglǐ: Yǐhòu nǐ yídìng děi zhùyì zhège wèntí, bùguǎn kèrén duō duō, shēngyi duō máng, wǒmen dōu yào bǎozhèng cāntīng gānjìng wèishēng.

Fúwùyuán: Jīnglǐ nín fàng xīn, wǒ yídìng yǐ zuì kuài de sùdù wánchéng. Búguò zánmen zhēn de yīnggāi zài duō zhāopìn jǐ ge fúwùyuán le.

3. Sūn Yuè hé Wáng Jìng zài liáo guānyú huánbǎo de shìqing

Sūn Yuè: Zǎoshang tīng xīnwén shuō míngtiān yǒu yí ge jiào "Dìqiú Yì Xiǎoshí" de huódòng, nǐ duì zhège huódòng liǎojiě ma?

Wáng Jìng: Zhège huódòng niánnián dōu yǒu, zuì zǎo shì cóng èr líng líng qī nián kāishǐ de. Míngtiān wǎnshang hěn duō rén dōu huì guān dēng yì xiǎoshí, zhīchí zhège huódòng. Nǐ méi kàndào ménkǒu de tōngzhī ma? Wǒmen gōngsī yě cānjiā.

Sūn Yuè: Zhēn de ma? Tài hǎo le! Jìrán míngtiān wǎnshang gōngsī huì guān dēng tíng diàn, nàme wǒmen kěndìng búyòng jiā bān le.

Wáng Jìng: Kàn nǐ déyì de yàngzi! Hái yǐwéi nǐ gāoxìng shì wèile zhīchí huánbǎo, yuánlái shì yīnwèi búyòng jiā bān a!

Sūn Yuè: Huánjìng bǎohù wǒ dāngrán yě zhīchí le! Duì le, wèi shénme huì yǒu zhème yí ge huódòng a?

Wáng Jìng: Qíshí mùdì tǐng jiǎndān de, jiù shì tíxǐng rénmen jiéyuē yòng diàn, xīwàng yǐnqǐ rénmen duì qìhòu biàn nuǎn wèntí de guānzhù.

（2）A: 你来得＿＿＿＿＿＿＿＿＿＿＿＿＿＿＿，正好8点。（够……的）

　　　B: 那就好，我还以为迟到了。

（3）这些菜＿＿＿＿＿＿＿＿＿＿＿＿＿，咱们俩肯定吃不了。（够）

2　以

"以"，介词，表示凭借，有"用、拿"的意思，常用结构是"以……V"。例如：

The preposition "以" means "using, taking, by means of", usually used in the structure "以…… + V". For example:

（1）经理您放心，我一定以最快的速度完成。

（2）事情做到"差不多"就觉得满意的人往往不会成功，只有以严格的标准来要求自己才会让自己变得更优秀。

"以……为……"结构的意思是"把……作为……"或者"认为……是……"。例如：

"以……为……" means "to take…as…" or "to regard…as…". For example:

（3）我们应该以那些敢说真话的人为镜子，这样才能及时发现自己的缺点。

"以"，连词，表示目的。相当于"用来、为的是"。一般用在后一分句的句首，主语必须相同。例如：

The conjunction "以" indicates purpose, meaning "used for, in order to". It is usually used at the beginning of the latter clause, and the two clauses should share the same subject. For example:

（4）如果是十分重要的朋友，中国人往往会请他们去饭店或餐厅吃饭，以表示对客人的尊重和礼貌。

● 练一练 Practice

完成句子 Complete the sentences.

（1）＿＿＿＿＿＿＿＿＿＿＿，解决这个问题还有点儿困难。（以）

（2）汉语普通话＿＿＿＿＿＿＿＿＿＿＿＿。（以……为……）

（3）我觉得应该降低公园门票价格，＿＿＿＿＿＿＿＿。（以）

3 既然

"既然"，连词，用在复句的前一分句，意思是"因为事实已经是这样了"。后一分句常有"就、也、还"之类的词跟它配合使用，表示根据前边的情况得出的结论。例如：

The conjunction "既然" is used in the first clause of a complex sentence, meaning "since this is the fact now". "就", "也" or "还" etc. is often used in coordination with it in the second clause, indicating the conclusion drawn from the situation mentioned. For example:

（1）A: 你既然不愿意打球，为什么还要打？

B: 我是不得不打啊，因为这些天我又胖了好几斤。

（2）A: 真抱歉，明天我得出差，不能参加明天的会议了。

B: 既然这样，就只好安排在下周了。

（3）既然明天晚上公司会关灯停电，那么我们肯定不用加班了。

● **练一练** Practice

完成对话或句子 Complete the dialogue or sentences.

（1）A: 这里的景色确实很不错。阳光好，空气新鲜，来这儿散步真舒服。

B: _____，以后我们可以常来。（既然）

（2）我刚才看了一下，一共二十个人，有十五个人同意这个计划，_____，那我们就通过这个计划了。（既然）

（3）有些事情过去了就是过去了，再也不能回头。_____，那么就把那些过去的事情放在心里，当成一种回忆，然后勇敢地抬起头向前看，走好以后的路。（既然）

根据课文内容回答问题 Answer the questions based on the texts.

课文1：❶ 李进开始为什么不想带毛巾、牙膏和牙刷？后来为什么又带了？

❷ 王静为什么建议李进坐地铁去机场？

课文2：❸ 经理希望小王做什么？店里哪些地方需要打扫？

❹ 经理有什么要求？小王打算怎么做？

课文3：❺ 明天晚上孙月的公司会做什么？孙月为什么很高兴？

❻ "地球一小时"是个什么活动？这个活动的目的是什么？

课文 **4**　💿 14-4
Texts

　　塑料袋给人们的生活带来方便，受到人们的普遍欢迎，可是，它的大量使用也带来了严重的环境污染问题。于是，一些国家规定，超市、商场不能为顾客提供免费塑料袋，并且鼓励大家购买可以多次使用的购物袋。我们每个人都有责任保护环境，因此，请大家节约使用塑料袋，或者购物时自备购物袋，甚至拒绝使用塑料袋。虽然这是一件很小的事，但这样做可以减少塑料袋的使用数量，对环境保护有很大的作用。

生词

22. 塑料袋　sùliàodài
　　n. plastic bag
23. 于是　yúshì
　　conj. hence, therefore
24. 鼓励　gǔlì
　　v. to encourage
25. 拒绝　jùjué
　　v. to refuse, to reject
26. 减少　jiǎnshǎo
　　v. to reduce, to decrease
27. 数量　shùliàng
　　n. quantity, amount

5　💿 14-5

　　保护地球环境，并不是一件离我们很远、很难做到的事情。实际上，我们只需注意一下身边的小事就可以。例如，夏天把空调的温度开得高一些，出门时记得关空调和电脑，这样可以节约用电；少开车，多骑车或者乘坐地铁和公共汽车，这样能降低空气污染；还有养成把垃圾丢进垃圾桶的习惯什么的。这些是我们每个人都能够做到的小事，但却有实实在在的效果。地球是我们共同的家，只有大家共同努力，减少污染、保护环境，才能使我们的家变得更美丽。

生词

28. 温度　wēndù
　　n. temperature
29. 乘坐　chéngzuò
　　v. to take (a vehicle),
　　to ride (in a vehicle)
30. 丢　diū
　　v. to throw, to cast
31. 垃圾桶　lājītǒng
　　n. dustbin, trash can
32. 美丽　měilì
　　adj. beautiful

拼音课文 Texts in *Pinyin*

4

Sùliàodài gěi rénmen de shēnghuó dàilái fāngbiàn, shòudào rénmen de pǔbiàn huānyíng, kěshì, tā de dàliàng shǐyòng yě dàiláile yánzhòng de huánjìng wūrǎn wèntí. Yúshì, yìxiē guójiā guīdìng, chāoshì, shāngchǎng bù néng wèi gùkè tígōng miǎnfèi sùliào dài, bìngqiě gǔlì dàjiā gòumǎi kěyǐ duō cì shǐyòng de gòuwùdài. Wǒmen měi ge rén dōu yǒu zérèn bǎohù huánjìng, yīncǐ, qǐng dàjiā jiéyuē shǐyòng sùliàodài, huòzhě gòuwù shí zì bèi gòuwùdài, shènzhì jùjué shǐyòng sùliàodài. Suīrán zhè shì yí jiàn hěn xiǎo de shì, dàn zhèyàng zuò kěyǐ jiǎnshǎo sùliàodài de shǐyòng shùliàng, duì huánjìng bǎohù yǒu hěn dà de zuòyòng.

5

Bǎohù dìqiú huánjìng, bìng bú shì yí jiàn lí wǒmen hěn yuǎn、hěn nán zuòdào de shìqing. Shíjì shang, wǒmen zhǐ xū zhùyì yíxià shēnbiān de xiǎo shì jiù kěyǐ. Lìrú, xiàtiān bǎ kōngtiáo de wēndù kāi de gāo yìxiē, chū mén shí jìde guān kōngtiáo hé diànnǎo, zhèyàng kěyǐ jiéyuē yòng diàn; shǎo kāi chē, duō qí chē huòzhě chéngzuò dìtiě hé gōnggòng qìchē, zhèyàng néng jiàngdī kōngqì wūrǎn; hái yǒu yǎngchéng bǎ lājī diūjìn lājītǒng de xíguàn shénme de. Zhèxiē shì wǒmen měi ge rén dōu nénggòu zuòdào de xiǎo shì, dàn què yǒu shíshízàizài de xiàoguǒ. Dìqiú shì wǒmen gòngtóng de jiā, zhǐyǒu dàjiā gòngtóng nǔlì, jiǎnshǎo wūrǎn, bǎohù huánjìng, cái néng shǐ wǒmen de jiā biànde gèng měilì.

注释 4 于是
Notes

"于是"，连词，用在复句的后一分句中，表示后面的事情紧随着前面的事情发生，一般有承接关系。例如：

The conjunction "于是" is used in the second clause of a complex sentence, indicating an event happens immediately after the event mentioned previously, usually implying a successive relation. For example:

（1）听爷爷奶奶说，我妹妹出生那天，正好下了一场大雪，于是我爸妈就给她取名叫夏雪。

（2）他是一位著名的记者，五年里，他去了亚洲许多国家，尝遍了各地的美食。回国后，他用一年的时间整理材料，于是就有了这本关于亚洲美食的书。

（3）……可是，它的大量使用也带来了严重的环境污染问题。于是，一些国家规定，超市、商场不能为顾客提供免费塑料袋，并且鼓励大家购买可以多次使用的购物袋。

● 练一练 Practice

完成句子 Complete the sentences.

（1）我约了朋友在商场门口见面，我早到了一会儿，＿＿＿＿＿＿＿＿＿

＿＿＿＿＿＿＿＿＿＿＿＿＿＿＿＿＿＿＿＿。 （于是）

（2）最近几年，笔记本电脑的价格大大降低，＿＿＿＿＿＿＿＿＿＿

＿＿＿＿＿＿＿＿＿＿＿＿＿。 （于是）

（3）学习一种语言不是简单的事情，许多人在开始学的时候觉得很

困难，＿＿＿＿＿＿＿＿＿＿＿＿＿＿＿＿＿＿＿。 （于是）

比一比 Compare　　于是—因此

相同点：Similarities:

两者都是连词，都可用于"A，于是/因此B"结构，表示A引起B。★
Both are conjunctions that can be used in the structure "A, 于是/因此 B", meaning A causes B.

小时候，他经常生病，于是/因此每天都去跑步锻炼身体。

不同点：Differences:

表示★这个意思时，"于是"强调A先发生，B后发生；而"因此"强调A是原因，B是结果。
In case ★, "于是" emphasizes that A happens before B, while "因此" emphasizes that A is the reason and B the result.

大家都同意寒假去旅行，于是，我们开始讨论去哪里旅行的问题。

他三岁跟父亲母亲一起来到这儿，就再也没离开过这里。因此，他对这个地方感情很深。

● 做一做 Drills

选词填空 Tick or cross

	于是	因此
（1）有些年轻人申请了信用卡，但在购物时却没有考虑自己的经济能力，最后不能按时还银行的钱，＿＿＿＿出现严重的信用问题。	✓	✓
（2）习惯是不容易改变的，＿＿＿＿，在孩子小的时候，父母要都他们养成好的生活、学习习惯。	✗	✓

		于是	因此
（3）不少人刚开始运动时，会感觉十分无聊，_____很快就放弃了。			
（4）那是1994年的冬天，那场雪下得特别大。大家都很激动，_____都跑到外面去玩儿雪。			
（5）生活往往不会按照我们的计划来进行。_____，光有计划还不行，还需要我们能及时地对原来的计划做出改变。			

5 什么的

"什么的"，助词，用在所举例子的后边，表示还有与所举例子类似的情况，常用于口语。例如：

The particle "什么的" is used after the example(s) enumerated, meaning there are still other things that are similar to the example(s) listed. It is usually used in spoken Chinese. For example:

（1）既然你不喜欢新闻专业，那就考虑考虑其他专业吧，中文、国际关系什么的，我和你爸都不反对。

（2）A: 我们去趟超市吧，明天出去玩儿得买点儿饼干和面包。

B: 好，还有矿泉水、果汁什么的。

（3）实际上，我们只需注意一下身边的小事就可以。例如，夏天把空调的温度开得高一些，出门时记得关空调和电脑，这样可以节约用电；少开车，多骑车或者乘坐地铁和公共汽车，这样能降低空气污染；还有养成把垃圾丢进垃圾桶的习惯什么的。

● **练一练** Practice

完成句子 Complete the sentences.

（1）我们有很多共同的爱好，经常一起_____。（什么的）

（2）很多东西是用钱买不到的，比如_____。（什么的）

（3）现在手机的作用越来越大，人们可以用它来_____

_____。（什么的）

根据课文内容回答问题 Answer the questions based on the text.

课文4：❶ 塑料袋有什么好处？有什么坏处？

❷ 怎样解决使用塑料袋带来的污染问题？

课文5： ③ 我们需要注意哪些事情来保护地球环境？

　　　　④ 怎样才能使地球变得更美丽？

练习
Exercises

1 复述　Retell the dialogues.

课文1：李进的语气：

我明天要出差，妻子帮我把毛巾、牙膏和牙刷都放到了箱子里。
……

课文2：小王的语气：

今天店里太忙了，卫生间很脏，我也没来得及打扫。……

课文3：孙月的语气：

早上听新闻说明天有一个叫"地球一小时"的活动，……

2 选择合适的词语填空　Choose the proper words to fill in the blanks.

拒绝　　鼓励　　得意　　省　　重 (zhòng)

① 为了_____大家少抽烟，人们将每年的4月7日定为"世界无烟日"。

② 有的人总是不好意思_____朋友的要求，害怕这样会影响两个人的感情。

③ 按照规定，您只能免费带20公斤的行李，超_____的部分每公斤加收全部票价的1.5%。

④ 不要因一时的成功而_____，也不要因一时的失败而伤心，因为那些都已经过去，重要的是怎样过好将来的生活。

⑤ 山东_____烟台市是中国著名的"苹果之都"。由于气候等自然条件较好，那儿的苹果个儿大，味道香甜，颜色也漂亮。

扔　　丢　　行　　出差　　抱歉

⑥ A: 打扰一下，请问李老师在吗？

　　B: 他_____了。你找他有事吗？

⑦ A: 喂，你还在逛街吗？我的钥匙_____了，进不了门，你快回来吧。

B: 好，我马上就回去。

⑧ A: 实在_____，我来晚了。今天路上有点儿堵。

B: 没关系，请坐。你喝果汁还是咖啡？

⑨ A: 垃圾桶又满了，你去_____一下垃圾吧。

B: 好的，看完这个节目我就去。

⑩ A: 马上就要毕业了，你准备在学校附近租房子吗？

B: 学校附近房子太贵。离学校远点儿没关系，只要离地铁或者公交车站近就_____。

扩展
Expansion　■ 同字词　Words with the Same Character

度：速度、温度、态度

（1）现在火车的速度非常快，有时乘坐火车甚至比乘坐飞机更节约时间，因为一般来说，去火车站比去机场的距离要近得多。

（2）很多人习惯在早上锻炼身体，但室外锻炼并不是越早越好，尤其是冬天，日出前温度较低，并不适合运动。

（3）人们都希望生活会向着好的方向变化，当我们开始改变自己的态度时，这种变化就开始发生了。

● **做一做** Drills

选词填空　Fill in the blanks with the words given.

速度　　温度　　态度

① 这个月底，我和丈夫准备开车去长白山，那边_____比较低，所以要提前准备几件厚一些的衣服。

② A: 小张，你有什么意见？

B: 按照现在的_____，想要在规定时间内完成计划，好像有点儿困难。

③ 幽默是一种积极的生活_____，不但可以减轻你工作上的压力，还可以拉近人与人之间的距离。

运用
Application

1 双人活动　Pair Work

互相了解对方关于保护环境的看法，完成调查表。

Learn about each other's opinions on environmental protection and complete the questionnaire below.

	问	答
1	你认为在生活中哪些方面会产生污染？	
2	污染对你的生活有哪些影响？	
3	污染给我们的地球带来了哪些变化？	
4	你认为造成污染的原因是什么？	
5	你认为一个国家应该有哪些规定来保护环境？	
6	我们应该做些什么来保护环境？	

2 小组活动　Group Work

现在的环境问题对我们的生活有哪些影响？你认为怎样才能减少污染、保护环境？请向小组成员介绍一下你关于保护环境的看法。（最少用四个下面的结构）

What are the influences that the current environmental problems have on our lives? What do you think we should do to reduce pollution and protect the environment? Tell your opinion to your group members. (Use at least four of the following structures.)

a. 免费提供　　　　　　　e. 节约用电

b. 从身边的小事做起　　　f. 对气候变暖问题的关注

c. 污染空气　　　　　　　g. 有责任保护环境

d. 一定得注意　　　　　　h. 减少污染

文化 CULTURE

天人合一——中国人的 "人与自然观"

"The Unity of Heaven and Man" – Chinese Philosophy about the Relationship betwen Humans and Nature

"天人合一"是中国哲学中关于人与自然关系的一种观点，意思是人与大自然要 "合一"，要和平共处。它最早是由庄子（公元前369–公元前286）提出的。当代著名学者季羡林先生将其解释为：天，就是大自然；人，就是人类；合，就是互相理解，结成友谊。古人告诉我们，人类只是天地万物中的一个部分，人与自然是息息相通的一体。随着经济的发展，环境保护问题也越来越引起人们的重视。世界环境日为每年的6月5日，它的确立反映了世界各国人民对环境问题的认识和态度，表达了人类对美好环境的向往和追求。

"天人合一 (the unity of heaven and man)" is a theory in Chinese philosophy about the relationship between humans and nature, meaning the humankind should unite with the nature and coexist with it in harmony. The idea was first put forward by Zhuangzi (369 B.C.-286 B.C.). According to the famous scholar Mr. Ji Xianlin, "天" refers to nature, "人" refers to the humankind, and "合" means to understand each other and make friends with each other. The ancients told us that we human beings are only part of the creatures in the universe, and that we are at one with nature. As the economy develops, environmental protection has begun to draw more and more attention. The annual World Environment Day falls on June 5th. Its establishment is a reflection of the understanding of and attitude towards environmental problems shared by people all over the world as well as an expression of the humankind's dream and pursuit of a good environment.

15

Jiàoyù   háizi   de   yìshù
教育孩子的艺术
The art of educating children

热身
Warm-up

1 给下面的词语选择对应的图片，并用这个词语根据图片说一个句子。
Match the pictures with the words and describe the pictures with sentences using the words.

gǎn shíjiān
❶ 赶 时 间 _____

hàixiū
❷ 害羞 _____

dǎ zhēn
❸ 打 针 _____

nàozhōng
❹ 闹钟 _____

qiāo mén
❺ 敲 门 _____

tán gāngqín
❻ 弹 钢 琴 _____

2 说说教室里孩子们在做什么。如果你是他们的老师，你会怎么办？
What are the children doing in the classroom? If you were their teacher, what would you do?

课文 Texts

1 李老师建议王静让孩子养成好习惯 🔘 *15-1*

王　静：那个一边弹钢琴一边唱歌的男孩子是谁？表演得真棒！

李老师：是我孙子。去年寒假前的新年晚会他也表演过一次。

王　静：我想起来了，这孩子又聪明又可爱，你们教育得真好！

李老师：是他父母教育得好。父母是孩子最重要的老师。他父母不仅教他知识，而且还花了很长时间帮助他养成了非常好的习惯，现在他每天都自己练习弹钢琴。

王　静：让孩子养成一个好习惯实在太重要了，看来我得向他父母好好儿学习。

李老师：对。如果希望有一个优秀的孩子，你就要先成为一位优秀的父亲或者母亲。

生词

1. 弹钢琴　tán gāngqín
   to play the piano
2. 棒　bàng
   adj. excellent, amazing
3. 孙子　sūnzi
   n. grandson
4. 寒假　hánjià
   n. winter vacation
5. 父亲　fùqīn
   n. father

拼音课文 Texts in *Pinyin*

1. Lǐ lǎoshī jiànyì Wáng Jìng ràng háizi yǎngchéng hǎo xíguàn

Wáng Jìng: Nàge yìbiān tán gāngqín yìbiān chàng gē de nán háizi shì shéi? Biǎoyǎn de zhēn bàng!

Lǐ lǎoshī: Shì wǒ sūnzi. Qùnián hánjià qián de xīnnián wǎnhuì tā yě biǎoyǎnguo yí cì.

Wáng Jìng: Wǒ xiǎng qilai le, zhè háizi yòu cōngming yòu kě'ài, nǐmen jiàoyù de zhēn hǎo!

Lǐ lǎoshī: Shì tā fùmǔ jiàoyù de hǎo. Fùmǔ shì háizi zuì zhòngyào de lǎoshī, tā fùmǔ bùjǐn jiāo tā zhīshi, érqiě hái huāle hěn cháng shíjiān bāngzhù tā yǎngchéngle fēicháng hǎo de xíguàn, xiànzài tā měi tiān dōu zìjǐ liànxí tán gāngqín.

Wáng Jìng: Ràng háizi yǎngchéng yí ge hǎo xíguàn shízài tài zhòngyào le, kànlái wǒ děi xiàng tā fùmǔ hǎohāor xuéxí.

Lǐ lǎoshī: Duì. Rúguǒ xīwàng yǒu yí ge yōuxiù de háizi, nǐ jiù yào xiān chéngwéi yí wèi yōuxiù de fùqīn huòzhě mǔqīn.

2 王静建议孙月教育孩子学会安排时间   💿 15-2

王静：看你脸色不太好，是不是昨晚没休
息好？

孙月：别提了。我女儿昨晚做作业又做到
11点。

王静：睡觉太晚对孩子的身体没有好处。
最近孩子作业是不是太多了？

孙月：主要是她做事情比较慢，比如早
上闹钟响了她不醒，我赶时间送
她上学，她又急着上厕所。每天
因为这些小事批评她，弄得我俩
心情都不好。

王静：孩子做事慢，往往是因为他们不会
安排自己的时间。你应该让孩子学
会管理时间。

孙月：看来还是我的教育方法有问题。平
时看她做事情慢，总想替她做，以
后得让她学会安排时间，自己的事
情自己做。

生词

* 6. 闹钟   nàozhōng
    n. alarm clock

7. 响   xiǎng
    v. to sound, to ring

8. 醒   xǐng
    v. to wake up, to be awake

9. 赶   gǎn
    v. to rush for, to hurry

10. 厕所   cèsuǒ
    n. lavatory, toilet

11. 批评   pīpíng
    v. to criticize

12. 弄   nòng
    v. to do, to make

13. 管理   guǎnlǐ
    v. to manage, to administer

2. Wáng Jìng jiànyì Sūn Yuè jiàoyù háizi xuéhuì ānpái shíjiān

Wáng Jìng: Kàn nǐ liǎnsè bú tài hǎo, shì bú shì zuówǎn méi xiūxi hǎo?

Sūn Yuè: Biétí le. Wǒ nǚ'ér zuówǎn zuò zuòyè yòu zuòdào shíyī diǎn.

Wáng Jìng: Shuì jiào tài wǎn duì háizi de shēntǐ méiyǒu hǎochù. Zuìjìn háizi zuòyè shì bu shì tài duō le?

Sūn Yuè: Zhǔyào shì tā zuò shìqing bǐjiào màn, bǐrú zǎoshang nàozhōng xiǎngle tā bù xǐng, wǒ gǎn shíjiān sòng tā shàng xué, tā yòu jízhe shàng cèsuǒ. Měi tiān yīnwèi zhèxiē xiǎo shì pīpíng tā, nòng de wǒ liǎ xīnqíng dōu bù hǎo.

Wáng Jìng: Háizi zuò shì màn, wǎngwǎng shì yīnwèi tāmen bú huì ānpái zìjǐ de shíjiān. Nǐ yīnggāi ràng háizi xuéhuì guǎnlǐ shíjiān.

Sūn Yuè: Kànlái háishi wǒ de jiàoyù fāngfǎ yǒu wèntí. Píngshí kàn tā zuò shìqing màn, zǒng xiǎng tì tā zuò, yǐhòu děi ràng tā xuéhuì ānpái shíjiān, zìjǐ de shìqing zìjǐ zuò.

3 王静和孙月讨论表扬孩子的方法　🔊 15-3

王静：明天又要带我儿子去医院打针，想想我就头疼。他就怕打针，每次打针都哭得特别厉害。

孙月：记得我女儿小时候，带她去医院打针，刚开始，她害怕得要哭。我就小声地和护士说我女儿很勇敢，一点儿也不怕打针，女儿听了以后马上就不哭了。

王静：原来鼓励和表扬对小孩儿挺有用的，下次我也试试。

孙月：不过表扬也是一门艺术，表扬千万不要太多，过多的表扬可能会给孩子带来压力。不仅起不到鼓励的作用，还可能让孩子怀疑自己的能力，变得没有信心。

王静：那怎么表扬孩子才会更有效果呢？

孙月：我认为表扬要及时，而且表扬不仅仅要看结果，更要看过程，这样才能鼓励他的积极性，让他变得勇敢，不怕困难。

生词

14. 打针　dǎ zhēn
v. to give or have an injection
15. 护士　hùshi
n. nurse
16. 表扬　biǎoyáng
v. to praise, to commend
17. 千万　qiānwàn
adv. must, to be sure to
18. 怀疑　huáiyí
v. to suspect, to doubt

3. Wáng Jìng hé Sūn Yuè tǎolùn biǎoyáng háizi de fāngfǎ

Wáng Jìng: Míngtiān yòu yào dài wǒ érzi qù yīyuàn dǎ zhēn, xiǎngxiang wǒ jiù tóu téng. Tā jiù pà dǎ zhēn, měi cì dǎ zhēn dōu kū de tèbié lìhai.

Sūn Yuè: Jìde wǒ nǚ'ér xiǎoshíhou, dài tā qù yīyuàn dǎ zhēn, gāng kāishǐ, tā hàipà de yào kū. Wǒ jiù xiǎoshēng de hé hùshi shuō wǒ nǚ'ér hěn yǒnggǎn, yìdiǎnr yě bú pà dǎ zhēn, nǚ'ér tīngle yǐhòu mǎshàng jiù bù kū le.

Wáng Jìng: Yuánlái gǔlì hé biǎoyáng duì xiǎoháir tǐng yǒuyòng de, xià cì wǒ yě shìshi.

Sūn Yuè: Búguò biǎoyáng yě shì yì mén yìshù, biǎoyáng qiānwàn búyào tài duō, guò duō de biǎoyáng kěnéng huì gěi háizi dàilái yālì. Bùjǐn qǐ bu dào gǔlì de zuòyòng, hái kěnéng ràng háizi huáiyí zìjǐ de nénglì, biànde méiyǒu xìnxīn.

Wáng Jìng: Nà zěnme biǎoyáng háizi cái huì gèng yǒu xiàoguǒ ne?

Sūn Yuè: Wǒ rènwéi biǎoyáng yào jíshí, érqiě biǎoyáng bù jǐnjǐn yào kàn jiéguǒ, gèng yào kàn guòchéng, zhèyàng cái néng gǔlì tā de jījíxìng, ràng tā biànde yǒnggǎn, bú pà kùnnan.

注释 **1** 想起来
Notes

"起来"，动词，可用在动词后面做趋向补语或可能补语，表示动作的方向从下到上。例如：

The verb "起来" can be used after another verb as a complement of direction or possibility, indicating an upward movement. For example:

（1）你这样躺着看书对眼睛不好，快坐起来！

（2）需要长时间坐着工作的人，一小时左右一定要站起来活动活动。

"起来"如果用在动词"想"后，引申表示从记忆中寻找出以前的人或事。例如：

When "起来" is used after the verb "想", it means to recall somebody or something in the past. For example:

（3）我突然想起来得去银行，所以不能陪你去大使馆了。

（4）我想起来了，这孩子又聪明又可爱，你们教育得真好！

● **练一练** Practice

完成句子 Complete the sentences.

（1）当那个男孩走过来邀请她跳舞时，＿＿＿＿＿＿＿＿＿＿＿＿。（起来）

（2）你看见我钱包放哪儿了吗？＿＿＿＿＿＿＿＿＿＿＿＿。（想起来）

（3）每个人都对小时候有美好的回忆，＿＿＿＿＿＿＿＿＿。（想起来）

2 弄

"弄"，动词，表示"做"的意思，可以代表其他一些动词的意义，常用在口语中。例如：

The verb "弄" means "to do, to make". It is often used in spoken Chinese instead of certain other verbs. For example:

（1）A: 关于那个新闻的材料你准备好了吗？我们开会时要用。

　　B: 都弄（准备）好了，马上给您送过去。

（2）A: 一会儿搬沙发的时候要小心点儿，别弄（碰）坏了。

　　B: 没问题，我会注意看着脚下的。

（3）每天因为这些小事批评她，弄（批评）得我俩心情都不好。

● 练一练 Practice

完成句子 Complete the sentences.

（1）老师提醒我们考试时要仔细，＿＿＿＿＿＿＿＿＿＿＿＿＿＿。（弄）

（2）住在这里，外面不管什么时候都很热闹，晚上即使关上了窗户声音也很大，＿＿＿＿＿＿＿＿＿＿＿＿＿＿＿。（弄）

（3）＿＿＿＿＿＿＿＿＿＿＿＿，去西边的公共汽车应该在对面坐。（弄）

3 千万

"千万"，副词，表示"务必、一定"的意思，后面常接否定形式。例如：

The adverb "千万" means "must" or "to be sure to", usually followed by a negative structure. For example:

（1）不过表扬也是一门艺术，表扬千万不要太多，过多的表扬可能会给孩子带来压力。

（2）我要等她生日那天再送给她这个礼物，你现在千万别告诉她。

（3）每个人都应该记住这句话："开车千万别喝酒，喝酒千万别开车。"

● 练一练 Practice

完成句子 Complete the sentences.

（1）有些事情坚持了才会看到希望，＿＿＿＿＿＿＿＿＿＿＿＿。（千万）

（2）要是事情没有发生过，＿＿＿＿＿＿＿＿＿＿＿＿＿。（千万）

（3）这个箱子里都是杯子和盘子，＿＿＿＿＿＿＿＿＿＿＿。（千万）

「比一比 Compare」　千万——一定

相同点：两者都是副词，表示"提出要求，嘱咐"的意思。★

Similarity: Both are adverbs indicating giving a requirement or used in exhortation.

通过失败你能获得别人没有的经验，千万/一定不要因为失败就不努力了。

不同点：Differences:

1. 表示 ★ 这个意思时，虽然两者都既可用于肯定句，又可用于否定句，但是"千万"更多用于否定句，常跟"别、要/不要、不能"连用；"一定"更常用于肯定句，常跟"要/不要、能/不能"连用。

   In case , though both can be used in an affirmative or a negative sentence, "千万" is usually used in a negative sentence together with "别", "要/不要", or "不能", while "一定" is usually used in an affirmative sentence together with "要/不要" or "能/不能".

   工作只是生活的一部分，出去工作是为了让生活变得更好，因此，千万不要把工作中的不愉快带到生活中来。

   找工作的人一定要到这里看一看，这里提供的工作机会是最多的。

2. 表示 ★ 这个意思时，"千万"的语气比较委婉、和缓，常有"希望别人怎么做"的意思；"一定"的语气更强，常有命令的意味，要求别人坚决做到。

   In case ★, "千万" conveys a more polite and mild tone, often meaning "hoping someone to do something", while "一定" expresses a stronger, usually commanding tone, often meaning someone must do something.

   当机会到来时，千万不要放手，有什么想做的事就马上去做吧。

   （有希望、恳切叮咛的语气）

   这几个动作你做得还是不太标准，在正式比赛前一定要练好。

   （表命令、坚决的语气）

3. "一定"做副词时，用在第一人称的句子中，表示说话人做某事的决心，常跟"会/不会、能"；"千万"无此用法。

   The adverb "一定" is usually used together with "会/不会" or "能" in a first-person sentence, meaning the speaker has made up his/her mind to do something, while "千万" cannot be used this way.

   感谢您的支持和鼓励，我一定会继续努力。

4. "一定"做副词时，还可表示"必然、确实无疑"的意思。"一定"的否定形式"不一定"表示情况不能肯定，但偏向于否定，有"可以、不必"的意思；"千万"无此用法。

   The adverb "一定" can also be used to mean "surely, undoubtedly". "不一定", its negative structure, indicates the situation is unclear and conveys a negative implication, meaning "not necessarily", while "千万" cannot be used this way.

只要你不放弃希望，不怕辛苦，能够一直坚持努力学习，提高自己的水平和能力，就一定能成功。

人们常说："便宜没好货，好货不便宜。"其实不一定都是这样，有时候质量很好的东西也会很便宜。

5. "一定"还可做形容词时，表示"某种程度的、适当的"的意思；"千万"无此用法。

The adjective "一定" means "certain" or "proper", while "千万" cannot be used this way.

如果你有一定的语言基础和经济条件，那么出国学习外语是最好的选择，因为语言环境对学习语言有重要的作用。

6. 答复别人时，"一定"可以用在简短形式中，或者单独用；"千万"无此用法。

"一定" can be used in a shortened structure or by itself to give somebody a reply, while "千万" cannot be used this way.

A: 王老师您刚来这儿工作三年就当了教授，这次你得请客啊。

B: 一定（请客）。

● **做一做** Drills

选词填空 Choose the words to fill in the blanks

	千万	一定
（1）不管压力有多么大，_____不能放弃，而是要继续坚持下去。	✓	✓
（2）这次你一定要按照要求认真填写，小心一点儿，_____别写错了。	✓	×
（3）哭并不_____是件坏事，哭可以让人从坏心情中走出来，是一种减轻压力的好办法。		
（4）兴趣是最好的老师，如果孩子对一件事情感兴趣，那他_____会努力地去学习，效果也会更好。		
（5）事情的原因和结果往往是互相联系的。_____的原因会引起一定的结果，有时候一件事情的结果可能又是另一件事情的原因。		

根据课文内容回答问题　Answer the questions based on the texts.

课文1：① 王静以前看过李老师孙子的表演吗？你是怎么知道的？

② 怎么理解"父母是孩子最重要的老师"这句话？

课文2：③ 孙月常因为什么事情心情不好？你小时候父母会因为什么和你生气？

④ 怎么做可以帮助孩子学会安排自己的事情。

课文3：⑤ 哪种教育方式对孙月的女儿比较有效？

⑥ 用表扬这种方式教育孩子时，应该注意哪些问题？

课文 **4**　💿 15-4
Texts

有的孩子在得不到自己想要的东西的时候，会通过哭、扔东西或者故意敲打来引起父母的注意。在这种情况下，建议父母先不要生气，应该停下手中的事情，陪孩子整理整理东西，和他们聊聊天儿，弄清楚他们的问题。父母的关心，可以让孩子心情愉快起来。教育孩子应该选择合适的教育方法，最好不要为了解决问题而骗孩子，这是因为儿童缺少判断能力，看到父母骗人，他们也会学着说假话。

生词	
19. 故意	gùyì
	adv. intentionally, on purpose
20. 敲	qiāo
	v. to knock, to beat, to strike
21. 整理	zhěnglǐ
	v. to tidy up, to arrange
22. 合适	héshì
	adj. fit, suitable
23. 骗	piàn
	v. to cheat, to deceive
24. 儿童	értóng
	n. children
25. 假	jiǎ
	adj. false, fake

5 💿 15-5

七岁左右的儿童普遍好动，坐不住，所以老师在教这个年龄段的孩子时，一定要想办法引起他们的兴趣。只有让他们觉得你教的内容有趣，他们才会愿意努力学习。当孩子不明白时，应该多鼓励他，不要用"懒""笨""粗心"这种词批评他，这样对他们的正常发展不好。而且，对不同性格的孩子要使用不同的教育方法。如果孩子比较骄傲，应该让他明白还有很多知识需要学习；要是孩子性格有些害羞，就要经常鼓励他说出自己的看法，这样才能让每一个孩子都健康地发展。

生词

26. 左右　zuǒyòu
n. around, or so

27. 懒　lǎn
adj. lazy

28. 笨　bèn
adj. stupid, foolish

29. 粗心　cūxīn
adj. careless, thoughtless

30. 骄傲　jiāo'ào
adj. arrogant, conceited

31. 害羞　hàixiū
v. to be shy, to be timid

拼音课文　Texts in *Pinyin*

4

　Yǒude háizi zài dé bu dào zìjǐ xiǎng yào de dōngxi de shíhou, huì tōngguò kū, rēng dōngxi huòzhě gùyì qiāodǎ lái yǐnqǐ fùmǔ de zhùyì. Zài zhè zhǒng qíngkuàng xià, jiànyì fùmǔ xiān búyào shēng qì, yīnggāi tíngxià shǒu zhōng de shìqing, péi háizi zhěnglǐ zhěnglǐ dōngxi, hé tāmen liáoliáo tiānr, nòng qīngchu tāmen de wèntí. Fùmǔ de guānxīn, kěyǐ ràng háizi xīnqíng yúkuài qǐlai. Jiàoyù háizi yīnggāi xuǎnzé héshì de jiàoyù fāngfǎ, zuì hǎo búyào wèile jiějué wèntí ér piàn háizi, zhè shì yīnwèi értóng quēshǎo pànduàn nénglì, kàndào fùmǔ piàn rén, tāmen yě huì xuézhe shuō jiǎhuà.

5

　Qī suì zuǒyòu de értóng pǔbiàn hào dòng, zuò bu zhù, suǒyǐ lǎoshī zài jiāo zhège niánlíng duàn de háizi shí, yídìng yào xiǎng bànfǎ yǐnqǐ tāmen de xìngqù. Zhǐyǒu ràng tāmen juéde nǐ jiāo de nèiróng yǒuqù, tāmen cái huì yuànyì nǔlì xuéxí. Dāng háizi bù míngbai shí, yīnggāi duō gǔlì tā, búyào yòng "lǎn" "bèn" "cūxīn" zhè zhǒng cí pīpíng tā, zhèyàng duì tāmen de zhèngcháng fāzhǎn bù hǎo. Érqiě, duì bù tóng xìnggé de háizi yào shǐyòng bù tóng de jiàoyù fāngfǎ. Rúguǒ háizi bǐjiào jiāo'ào, yīnggāi ràng tā míngbai hái yǒu hěn duō zhīshi xūyào xuéxí; yàoshi háizi xìnggé yǒuxiē hàixiū, jiù yào jīngcháng gǔlì tā shuōchū zìjǐ de kànfǎ, zhèyàng cái néng ràng měi yí ge háizi dōu jiànkāng de fāzhǎn.

注释 Notes

4 来

"来"，动词，用在另一个动词前面，表示"要做某事"的意思，常用在口语中。如果不用"来"，句子的意思不变。例如：

The verb "来" is used before another verb to mean "to be going to do something", usually used in spoken Chinese. The meaning of the sentence won't change if "来" is removed from it. For example:

（1）这个沙发这么大，你们两个肯定抬不动，我来帮你们一起抬。

（2）小王经验比较丰富，并且做事认真，这次就让他来负责吧。

（3）有的孩子在得不到自己想要的东西的时候，会通过哭、扔东西或者故意敲打来引起父母的注意。

● 练一练 Practice

完成句子 Complete the sentences.

（1）这两件衣服我都喜欢，不知道买哪件好，_____。（来）

（2）我们学校经常会举办一些活动，_____。（来）

（3）记者总是需要到处调查，_____。（来）

5 左右

"左右"，名词，只用在数量词后面，表示比某一数量稍多或者稍少。例如：

The noun "左右" can only be used after numerals, indicating being slightly more or less than a certain quantity. For example:

（1）网上买的那本书估计三天左右就能到，你收到了记得给我打个电话说一声。

（2）这儿不能停车，前方500米左右有个免费停车场，您可以把车停到那儿。

（3）七岁左右的儿童普遍好动，坐不住，所以老师在教这个年龄段的孩子时，一定要想办法引起他们的兴趣。

● 练一练 Practice

完成句子 Complete the sentences.

（1）_____，我们还是坐地铁吧。（左右）

（2）_____，有消息我们会马上通知你。（左右）

（3）马经理7月底去北京出差，_____。（左右）

■■■ 根据课文内容回答问题　Answer the questions based on the texts.

课文4：❶ 有的孩子为什么故意乱扔东西？遇到这种情况，父母应该怎么办？

❷ 为什么有的孩子会说假话骗人？

课文5：❸ 对教儿童的老师来说，怎么做才能让他们安静地学习？

❹ 如果孩子学习不太好，父母最好用什么方式教育他们？

练习 **1** 复述　Retell the dialogues.

Exercises

课文1：李老师的语气：

我孙子这么优秀都是因为他父母教育得好，……

课文2：王静的语气：

孙月经常因为一些小事跟女儿生气，比如……

课文3：孙月的语气：

在女儿小时候，我经常鼓励和表扬她。……

2 选择合适的词语填空　Choose the proper words to fill in the blanks.

粗心　　表扬　　整理　　寒假　　批评

❶ 已经放_____了，去打球的人肯定不多，星期天我们去学校的体育馆打网球吧。

❷ 这些只有三分之一吧，还有很多东西没来得及_____呢，下周再搬。

❸ 如果遇到不得不_____别人的时候，态度要友好一点儿，不要让别人听了心里不舒服。

❹ 他的优点是有礼貌、诚实，能吃苦，就是太_____了，不适合我们这儿的工作。

❺ 孩子在受到_____时，往往会对自己更有信心，对学习的兴趣也会更大，成绩当然会提高。

响　管理　故意　赶　害羞

❻ A: 因为那件事，她特别生我的气。

B: 放心吧，你也不是_____的，去跟她解释一下，她会理解的。

❼ A: 你妹妹很可爱，但是好像不太爱说话。

B: 她只是有点儿_____，等跟大家熟悉了就好了。

❽ A: 这次大学同学聚会你联系得怎么样了？能来多少人？

B: 大约有一半吧，李进还专门从国外_____回来呢。

❾ A: 桌子上那个一直在_____的手机是谁的？可能找他有什么急事。

B: 那是张经理的，他在会议室开会呢，你快把手机给他拿过去吧。

❿ A: 听说昨天那个招聘会提供了很多工作机会，你找到合适的公司了吗？

B: 这个招聘会主要是为经济和_____专业的学生举办的，所以没几个合适的。

扩展
Expansion

■ 同字词　Words with the Same Character

护：护照、保护、护士

（1）他是我大学时的同学，毕业后我们就再也没联系过，没想到中午我去取护照时竟然遇到他了。

（2）保护地球环境，并不是离我们很远、很难做到的事情。实际上，我们只需注意一下身边的小事就可以。

（3）这本小说的作者是医院的一位护士，她通过小说告诉我们发生在医院里的许多有趣的故事，让我们对护士、医生这些职业有了更多的了解。

● **做一做** Drills

选词填空　Fill in the blanks with the words given.

护照　　保护　　护士

① 冬季皮肤往往容易变得干燥，女性朋友尤其应该注意_____皮肤，要多吃水果，比如香蕉、苹果等等。

② 爸爸说我小时候特别害怕打针，一看见医生就哭，他怎么都没想到，我长大后竟然会成为一名_____。

③ 因为要申请去国外留学，她最近特别忙。一方面她要准备成绩证明、办_____，一方面还要跟国外的大学联系。

运用 **1** **双人活动**　Pair Work

Application

互相了解对方父母对他/她的教育方式，完成调查表。

Learn about the parenting methods of your partner's parents and complete the questionnaire below.

	问	答
1	你小时候做错了事，你的家人（父母）会批评你吗？为什么？	
2	你的家人（父母）会在什么情况下表扬你？他们会用哪种方式表扬你？	
3	如果遇到困难或者烦恼时，你愿意跟你的哪位家人（父母）交流？	
4	你认为你的家长（父母）教育你的方式都正确吗？为什么？	
5	如果对于一件事你和家长（父母）的意见不同，你们会怎么办？	

2 小组活动　Group Work

父母在我们从小到大生活的过程中，起了非常重要的作用。对他们的教育方法，有的我们可能同意，有的可能不并喜欢。那么，如果你有了孩子，会怎么做呢？向小组成员介绍一下怎么成为一个优秀的父亲或者母亲。（最少用四个下面的结构）

Parents have been playing a vital role in our lives since childhood. We may agree with some of their parenting methods, but do not like the others. So, if you have a kid, what would you do to make yourself a good father or mother? Tell your group members about it. (Use at least four of the following structures.)

a. 养成一个好习惯

b. 学会管理时间

c. 怀疑自己的能力

d. 鼓励他们的积极性

e. 学着说假话

f. 为了解决问题

g. 引起他们的兴趣

h. 健康地发展

文化　CULTURE

孟母三迁的故事　Mencius' Mother Moved Thrice

　　孟子（约公元前372—约公元前289），中国古代著名的思想家、教育家，他和孔子一样，是儒家学派的主要代表人物之一。孟子小时候，他的母亲为了让他有一个好的教育环境，曾经搬过三次家。刚开始，他们住在坟墓的附近，孟子经常喜欢模仿别人办丧事。孟母看到后认为那个地方不适合教育儿子，于是就带着孟子搬到市场附近。可是，孟子又模仿着做生意，孟母觉得那里也不适合教育儿子，于是又搬到一个学校旁边。从那以后，孟子就开始好好儿学习了，最后成为了有才德的圣人。如今的中国，很多父母也是这样，为了让孩子受到更好的教育，想了很多的办法，甚至从一个城市搬到另一个城市，有的还出国陪读。这个故事说明，环境能改变一个人的爱好和习惯，创造一个好的环境对一个人的成长非常重要。

　　Mencius (c.372 B.C.–289 B.C.) was a famous thinker and educator of ancient China. Like Confucius, Mencius is also a major representative of the Ruist (Confucian) School. When Mencius was young, his mother had moved homes three times to find a good educational environment for him. At first, they lived near a graveyard, where Mencius constantly imitated people who were holding funerals. Seeing this, his mother believed that the place wasn't good for her son's education, so she moved with Mencius to a place near the market. However, Mencius began to imitate doing business there, which made his mother think it wasn't a good place for him either, so she moved again, this time near a school. Henceforth, Mencius studied hard and became a sage at last. In China today, many parents, also like Mencius' mother, try every way to provide better education for their children, some have even moved to a different city, or taken their children overseas accompanying them while they are going to school there. The story of "Mencius' Mother Moved Thrice" tells us that the environment can change one's behaviors and habits and having a good environment is very important to one's development.

16
Shēnghuó kěyǐ gèng měihǎo
生活可以更美好
Life can be better

热身 **1**
Warm-up

给下面的词语选择对应的图片，并用这个词语根据图片说一个句子。
Match the pictures with the words and describe the pictures with sentences using the words.

 A

 B

 C

 D

 E

 F

jīdòng
❶ 激动 _____

cānguān
❷ 参观 _____

shīwàng
❸ 失望 _____

guà
❹ 挂 _____

tuī
❺ 推 _____

jìzhě
❻ 记者 _____

2
遇到下面这些情况，你会拒绝吗？说说你的原因。
Will you say no in the following situations? Give your reasons.

① 你准备结婚，想买房子，需要花很多钱，但这时你的好朋友突然生病了，向你借钱。

② 你刚刚得到读博士 (bóshì) 的机会，同时也通过了工作面试，公司通知你去上班。

③ 放假了你本来打算去国外旅行，可是父母说准备来看你。

④ 一个同学没有好好儿复习，希望你能在考试的时候帮助他。

课文 Texts

1 小夏出国留学遇到了问题 16-1

小雨：你马上就要硕士毕业了吧？将来有
　　　什么打算？

小夏：我想出国读博士，一直在准备办签
　　　证需要的材料。

小雨：现在材料准备得怎么样了？

小夏：成绩证明和护照已经准备好了，另
　　　外，还跟国外的大学取得了联系，
　　　填写了报名表格。

小雨：还应该有国外大学给你的邀请信
　　　吧？他们把邀请信传真给你了吗？

小夏：没有啊，下个星期我就要去使馆办
　　　签证了，这可怎么办？

小雨：这可是个大问题，我也不太清楚。
　　　我帮你查一下学校的电话号码，你
　　　打电话问一下吧。

生词

1. 博士　bóshì
   n. doctor (academic degree)
2. 签证　qiānzhèng
   n. visa
3. 报名　bào míng
   v. to apply, to sign up
4. 表格　biǎogé
   n. form, table
5. 传真　chuánzhēn
   v. to send by fax
6. 号码　hàomǎ
   n. number

拼音课文 Texts in *Pinyin*

1. Xiǎo Xià chū guó liúxué yùdàole wèntí

Xiǎo Yǔ: Nǐ mǎshàng jiù yào shuòshì bì yè le ba? Jiānglái yǒu shénme dǎsuàn?

Xiǎo Xià: Wǒ xiǎng chū guó dú bóshì, yìzhí zài zhǔnbèi bàn qiānzhèng xūyào de cáiliào.

Xiǎo Yǔ: Xiànzài cáiliào zhǔnbèi de zěnmeyàng le?

Xiǎo Xià: Chéngjì zhèngmíng hé hùzhào yǐjīng zhǔnbèihǎo le, lìngwài, hái gēn guówài de dàxué qǔdéle liánxì, tiánxiěle bào míng biǎogé.

Xiǎo Yǔ: Hái yīnggāi yǒu guówài dàxué gěi nǐ de yāoqǐngxìn ba? Tāmen bǎ yāoqǐngxìn chuánzhēn gěi nǐ le ma?

Xiǎo Xià: Méiyǒu a, xià ge xīngqī wǒ jiù yào qù shǐguǎn bàn qiānzhèng le, zhè kě zěnme bàn?

Xiǎo Yǔ: Zhè kě shì ge dà wèntí, wǒ yě bú tài qīngchu. Wǒ bāng nǐ chá yíxià xuéxiào de diànhuà hàomǎ, nǐ dǎ diànhuà wèn yíxià ba.

2 王老板告诉李进自己成功的经验　　16-2

李　进：谢谢您带我参观您的公司。在参观过程中我很激动，有个问题一直想问您。

王老板：好啊！小伙子，咱们一边吃西瓜，一边聊。

李　进：您从大学毕业开始工作，到现在才十年时间，怎么给公司赚了这么多钱？这让我非常吃惊。我想向您学习一下成功的经验。

王老板：这个问题以前一个记者也问过我。做生意时虽然会遇到各种压力和困难，但是大家的机会都是相同的。你看，这里有三块大小不同的西瓜，我们用西瓜的大小代表钱的多少，要是我们一起开始吃，你会先选哪块？

李　进：我肯定先吃最大的一块了，难道您会先吃小的，放弃吃大块的机会吗？

王老板：我会先吃最小的一块，因为在你没吃完最大的那块时，我还有时间再多吃一块，最后一定比你吃的西瓜多。听完我的回答，恐怕你已经知道我的答案了吧。

生词		
7. 参观	cānguān	v. to visit, to look around
8. 激动	jīdòng	adj. excited, emotional
9. 小伙子	xiǎohuǒzi	n. young man
10. 记者	jìzhě	n. journalist, reporter
*11. 代表	dàibiǎo	v. to represent, to stand for
12. 恐怕	kǒngpà	adv. (*indicating an estimation*) I guess...

2. Wáng lǎobǎn gàosu Lǐ Jìn zìjǐ chénggōng de jīngyàn

Lǐ Jìn: Xièxie nín dài wǒ cānguān nín de gōngsī. Zài cānguān guòchéng zhōng wǒ hěn jīdòng, yǒu ge wèntí yìzhí xiǎng wèn nín.

Wáng lǎobǎn: Hǎo a! Xiǎohuǒzi, zánmen yìbiān chī xīguā, yìbiān liáo.

Lǐ Jìn: Nín cóng dàxué bì yè kāishǐ gōngzuò, dào xiànzài cái shí nián shíjiān, zěnme gěi gōngsī zhuànle zhème duō qián? Zhè ràng wǒ fēicháng chī jīng. Wǒ xiǎng xiàng nín xuéxí yíxià chénggōng de jīngyàn.

Wáng lǎobǎn: Zhège wèntí yǐqián yí ge jìzhě yě wènguo wǒ. Zuò shēngyi shí suīrán huì yùdào gè zhǒng yālì hé kùnnan, dànshì dàjiā de jīhuì dōu shì xiāngtóng de. Nǐ kàn, zhèli yǒu sān kuài dà xiǎo bù tóng de xīguā, wǒmen yòng xīguā de dà xiǎo dàibiǎo qián de duō shǎo, yàoshi wǒmen yìqǐ kāishǐ chī, nǐ huì xiān xuǎn nǎ kuài?

3 小林不好意思拒绝朋友　 16-3

小林：今年放假我又回不了家了，这次我父
　　　母又要失望了。你有什么计划？

小李：我计划去郊区住一个月。你不是已经买
　　　好火车票了吗？你到底怎么打算的呀？

小林：昨天一个外地的好朋友打电话说要来
　　　旅游，让我当导游，我实在不好意思
　　　拒绝。

小李：其实拒绝并不表示不愿意帮忙。遇到
　　　解决不了的问题或者无法完成的任务
　　　时，拒绝正好说明你对朋友负责。这
　　　也是对你父母负责的态度。

小林：既然别人找我帮忙，说明他真的很需
　　　要我的帮助。我担心要是说"不"的
　　　话，会让他误会和伤心。

小李：别担心！如果你用一个既合适又礼貌的
　　　方法告诉朋友，他一定会原谅你的。

生词

13. 失望　　shīwàng
　　　v. disappointed

14. 郊区　　jiāoqū
　　　n. suburb, outskirts

15. 到底　　dàodǐ
　　　adv. *(used in
　　　questions for
　　　emphasis)* … on earth

16. 呀　　　ya
　　　part. *a variant of the
　　　interjection "啊",
　　　used at the end of a
　　　question to soften
　　　the tone*

17. 导游　　dǎoyóu
　　　n. tour guide

18. 礼貌　　lǐmào
　　　n. polite

19. 原谅　　yuánliàng
　　　v. to forgive

Lǐ Jìn: Wǒ kěndìng xiān chī zuì dà de yí kuài le, nándào nín huì xiān chī xiǎo de,
fàngqì chī dà kuài de jīhuì ma?

Wáng lǎobǎn: Wǒ huì xiān chī zuì xiǎo de yí kuài, yīnwèi zài nǐ méi chīwán zuì dà de nà kuài
shí, wǒ hái yǒu shíjiān zài duō chī yí kuài, zuìhòu yídìng bǐ nǐ chī de xīguā
duō. Tīngwán wǒ de huídá, kǒngpà nǐ yǐjīng zhīdào wǒ de dá'àn le ba.

3. Xiǎo Lín bù hǎo yìsi jùjué péngyou

Xiǎo Lín: Jīnnián fàng jià wǒ yòu huí bu liǎo jiā le, zhè cì wǒ fùmǔ yòu yào shīwàng le.
Nǐ yǒu shénme jìhuà?

Xiǎo Lǐ: Wǒ jìhuà qù jiāoqū zhù yí ge yuè. Nǐ bú shì yǐjīng mǎihǎo huǒchēpiào le ma?
Nǐ dàodǐ zěnme dǎsuàn de ya?

Xiǎo Lín: Zuótiān yí ge wàidì de hǎo péngyou dǎ diànhuà shuō yào lái lǚyóu, ràng wǒ
dāng dǎoyóu, wǒ shízài bú hǎo yìsi jùjué.

Xiǎo Lǐ: Qíshí jùjué bìng bù biǎoshì bú yuànyì bāng máng. Yùdào jiějué bu liǎo de
wèntí huòzhě wúfǎ wánchéng de rènwu shí, jùjué zhènghǎo shuōmíng nǐ duì
péngyou fùzé. Zhè yě shì duì nǐ fùmǔ fùzé de tàidù.

Xiǎo Lín: Jìrán biérén zhǎo wǒ bāng máng, shuōmíng tā zhēn de hěn xūyào wǒ de
bāngzhù. Wǒ dānxīn yàoshi shuō "bù" dehuà, huì ràng tā wùhuì hé shāngxīn.

Xiǎo Lǐ: Bié dānxīn! Rúguǒ nǐ yòng yí ge jì héshì yòu lǐmào de fāngfǎ gàosu péngyou,
tā yídìng huì yuánliàng nǐ de.

注释 **1** 可
Notes

"可"，副词，表示强调，还可用在问句里加强语气。例如：

The adverb "可" is used for emphasis. When used in a rhetorical question, it strengthens the tone. For example:

（1）这可是个大问题，我也不太清楚。

（2）下个星期就要去使馆办签证了，这可怎么办？

（3）我办了一张那个理发店的会员卡，理发可节约了不少钱。

● 练一练 Practice

完成句子 Complete the sentences.

（1）_____，竟然连火车票都没拿。（可）

（2）_____，把报名表格填好给我就可以了。（可）

（3）他房间这么乱，_____。（可）

2 恐怕

"恐怕"，动词，表示"担心"的意思。例如：
The verb "恐怕" means "to be afraid". For example:

（1）我的工作经验还比较少，那份工作我恐怕完成不了。

（2）这几个动作我恐怕做得不标准，所以比赛前要多多练习。

"恐怕"，副词，表示"估计，而且有点儿担心"的意思。例如：
The adverb "恐怕" means "according to estimation, and being a little worried". For example:

（3）这个会议室的座位恐怕不够，还是换到旁边那个大的吧。

（4）有些事情如果你一定要找一个正确答案，恐怕会让简单的生活变得复杂。

"恐怕"，副词，表示估计、推测，有"大概、也许"的意思。例如：
The adverb "恐怕" indicates an estimation or guess, meaning "probably, perhaps". For example:

（5）听完我的回答，恐怕你已经知道我的答案了吧。

（6）京剧演出7点就开始了，现在恐怕已经结束了。

● 练一练 Practice

完成句子 Complete the sentences.

（1）_____，你再去叫两个人过来一起抬。（恐怕）

（2）车撞得不严重，就是把车门擦坏了，＿＿＿＿＿＿＿＿。（恐怕）

（3）这个行李箱有点儿小，＿＿＿＿＿＿＿＿＿＿＿＿＿。（恐怕）

比一比 Compare　恐怕—怕

相同点：Similarity:

1. 两者都是动词，表示"担心"的意思。①

   Both can be used as verbs, meaning "to be afraid".

   从这儿坐地铁到那儿至少得五十分钟，马克恐怕/怕来不及了。

2. 两者也都是副词，表示估计，常有"担心"的意味。②

   Both can be used as adverbs indicating estimation, often implying "being worried".

   如果说一对夫妻缺少或者没有共同语言，那问题恐怕/怕就大了。

不同点：Differences:

1. 表示意思①时，"恐怕"只能用在动词前面，不能用在名词前面；而"怕"既可用在动词前面，也可用在名词前面。

   In case ①, "恐怕" can only be used before a verb, but not before a noun, while "怕" can be used before either a verb or a noun.

   我恐怕/怕忘了这件事，所以把这件事记在本子上。

   我怕你忘了这件事，所以打电话提醒你一下你。

2. 表示意思②时，"恐怕"可用在主语前或后；"怕"只用在主语后面。

   In case ②, "恐怕" can be used either before or after the subject, while "怕" is only used after the subject.

   刚才听广播说明天可能会下大雨，恐怕足球比赛不能举行了。

   刚才听广播说明天可能会下大雨，足球比赛恐怕/怕不能举行了。

3. "怕"是动词时可以带宾语，表示"害怕"的意思，指主语对某个人、某种东西、某种情况的畏惧；"恐怕"没有此用法。

   When used as a verb, "怕" can take an object, meaning "to fear (somebody, something, or a certain situation)", while "恐怕" has no such usage.

   找工作关键还是看能力，有能力的人不怕找不到好工作。

4. "恐怕"是副词时，还可以表示估计或推测，常可替换成"也许、大概"；"怕"没有此用法。

   When used as an adverb, "恐怕" can indicate an estimation or guess, and can usually be replaced by "也许/大概 (maybe/perhaps)", while "怕" has no such usage.

   好久没见过他了，他离开这里恐怕有二十天了。

● **做一做** Drills

选词填空 Tick or cross

	恐怕	怕
（1）如果没有你们的帮助，这次找工作＿＿＿＿不会这么顺利。	✓	✓
（2）这次聚会你们怎么准备了这多菜呢？我＿＿＿＿他们吃不了。	×	✓
（3）如果你们今晚还想看节目的话，最好现在就出发，再晚了＿＿＿＿就没座位了。		
（4）我本来想放假就走，但＿＿＿＿现在走不了，老师让我翻译几篇文章。		
（5）遇到任何困难都不要＿＿＿＿，只要你努力，成功就离你越来越近。		

3　到底

"到底"，动词，表示"一直到结束、到终点"的意思。例如：
The verb "到底" means "till the end". For example:

（1）今天我一定陪你逛街逛到底，保证让你买到合适的衣服。

（2）要是你觉得情人节只送巧克力还不够浪漫，那就再带她看《将爱情进行到底》这个爱情电影吧。

"到底"，副词，用在疑问句或者带疑问代词的非疑问句中，表示"进一步探究"的意思。不能用于带"吗"的是非疑问句中。例如：

The adverb "到底" is used in an interrogative sentence or a sentence with an interrogative pronoun, indicating to probe further. It cannot be used in a yes-no question with "吗". For example:

（3）你不是已经买好火车票了吗？你到底怎么打算的呀？

（4）我给他打了好几次电话了，可是一直没人接，也不知道他到底是怎么回事。

"到底"用在疑问句或者带疑问代词的非疑问句中时，主语如果是疑问代词，"到底"只能放在主语前。例如：

When used in an interrogative sentence or a sentence with an interrogative pronoun, "到底" should be put before the subject if the subject is the interrogative pronoun. For example:

（5）到底谁去参加比赛，大家还没决定。

（6）每个人都希望自己健康，那么到底什么是健康呢？不同的人有不同的理解。

● 练一练 Practice

完成句子 Complete the sentences.

（1）虽然这是两棵不同的植物，＿＿＿＿＿＿＿＿＿＿＿＿＿＿＿。（到底）

（2）从这儿一直往前走，＿＿＿＿＿＿＿＿＿＿＿＿＿＿＿。（到底）

（3）明天就是报名的最后一天了，＿＿＿＿＿＿＿＿＿＿＿＿＿＿＿。（到底）

■■ 根据课文内容回答问题 Answer the questions based on the texts.

课文1： ❶ 小夏毕业后计划做什么？顺利吗？为什么？

❷ 根据课文，如果想出国留学可能需要准备哪些材料？

课文2： ❸ 王老板怎么介绍自己的成功经验的？

❹ 根据王老板的回答，说说他赚这么多钱的原因是什么。

课文3： ❺ 小林放假后本来有什么打算？他可能因为什么事情改变计划？

❻ 小李和小林两个人对"拒绝别人"有哪些不同的理解？

课文 **4** 🔊 *16-4*

Texts

有些同学经常把"明天"和"将来"挂在嘴边，常说作业明天再完成，下次考试一定好好儿复习，等等。这种态度会浪费时间，不但会让你到最后什么事情都做不成，而且还得不到别人的同情。所以不要把什么事情都推到"明天"，一切从现在做起。就拿学汉语来说吧，首先要注意课前预习，找出第二天要学习的重点；其次，上课时要认真听，不能马虎；最后，课后要记得复习。只要这样，汉语就能越学越好，越说越自信。

生词		
20. 挂	guà	v. to hang, to put up
21. 同情	tóngqíng	v. to show sympathy for
22. 推	tuī	v. to put off, to postpone
23. 预习	yùxí	v. to prepare lessons before class
24. 重点	zhòngdiǎn	n. focal point, emphasis
25. 马虎	mǎhu	adj. careless, slipshod
26. 自信	zìxìn	adj. self-confident

5 🔊 16-5

当你认为自己在哪方面很优秀时，千万要冷静，不要骄傲。因为这个世界很大，"天外有天，人外有人"，很可能有人在这方面比你更厉害。你现在是第一，并不表示你永远都是第一。就像比赛一样，没有人会永远输，也没有人会一直赢。我们知道的越多，就会发现自己不懂的也越多。我们应该重视平时的积累，多向周围的人学习。如果你敢诚实地说出自己对哪方面不了解，并不说明自己比别人差，相反，这样做更能得到别人的尊重。

生词

27.	冷静	lěngjìng
		adj. calm, composed
28.	输	shū
		v. to lose, to suffer defeat
29.	重视	zhòngshì
		v. to attach importance to
30.	敢	gǎn
		v. to dare
31.	尊重	zūnzhòng
		v. to respect

拼音课文 Texts in *Pinyin*

4

Yǒuxiē tóngxué jīngcháng bǎ "míngtiān" hé "jiānglái" guà zài zuǐ biān, cháng shuō zuòyè míngtiān zài wánchéng, xià cì kǎoshì yídìng hǎohāor fùxí, děngděng. Zhè zhǒng tàidù huì làngfèi shíjiān, búdàn huì ràng nǐ dào zuìhòu shénme shìqing dōu zuò bu chéng, érqiě hái dé bu dào biérén de tóngqíng. Suǒyǐ búyào bǎ shénme shìqing dōu tuīdào "míngtiān", yíqiè cóng xiànzài zuòqǐ. Jiù ná xué Hànyǔ lái shuō ba, shǒuxiān yào zhùyì kè qián yùxí, zhǎochū dì-èr tiān yào xuéxí de zhòngdiǎn; qícì, shàng kè shí yào rènzhēn tīng, bù néng mǎhu; zuìhòu, kè hòu yào jìde fùxí. Zhǐyào zhèyàng, Hànyǔ jiù néng yuè xué yuè hǎo, yuè shuō yuè zìxìn.

5

Dāng nǐ rènwéi zìjǐ zài nǎ fāngmiàn hěn yōuxiù shí, qiānwàn yào lěngjìng, búyào jiāo'ào. Yīnwèi zhège shìjiè hěn dà, "tiān wài yǒu tiān, rén wài yǒu rén", hěn kěnéng yǒu rén zài zhè fāngmiàn bǐ nǐ gèng lìhai. Nǐ xiànzài shì dì-yī, bìng bù biǎoshì nǐ yǒngyuǎn dōu shì dì-yī. Jiù xiàng bǐsài yíyàng, méiyǒu rén huì yǒngyuǎn shū, yě méiyǒu rén huì yìzhí yíng. Wǒmen zhīdào de yuè duō, jiù huì fāxiàn zìjǐ bù dǒng de yě yuè duō. Wǒmen yīnggāi zhòngshì píngshí de jīlěi, duō xiàng zhōuwéi de rén xuéxí. Rúguǒ nǐ gǎn chéngshí de shuō chū zìjǐ duì nǎ fāngmiàn bù liǎojiě, bìng bù shuōmíng zìjǐ bǐ biérén chà, xiāngfǎn, zhèyàng zuò gèng néng dédào biérén de zūnzhòng.

注释 Notes

4 拿……来说

"拿……来说"结构中"拿"做介词，用来引入要说明的事物或情况。例如：

In the structure "拿……来说", "拿" is a preposition used to introduce the matter or situation to be illustrated. For example:

（1）这次招聘很多人符合公司的要求，拿他来说，他不仅专业符合职业要求，而且还有工作经验。

（2）如果一个汉字中有"氵"这个部分，说明这个字的意思很可能和水有关系，拿"河、流、洗、汁"这几个字来说，它们都跟水有关。

（3）所以不要把什么事情都推到"明天"，一切从现在做起。就拿学汉语来说吧，首先要注意课前预习，找出第二天要学习的重点……

● 练一练 Practice

完成句子 Complete the sentences.

（1）有的人一遇到困难就想放弃，＿＿＿＿＿＿＿＿。（拿……来说）

（2）保护环境应该从小事做起，＿＿＿＿＿＿＿＿。（拿……来说）

（3）没有工作计划很容易让人手忙脚乱，＿＿＿＿＿＿＿＿

＿＿＿＿＿＿＿＿＿＿＿＿。（拿……来说）

5 敢

"敢"，能愿动词，用在动词前面，表示有把握做某事。例如：

The modal verb "敢" is used before a verb, indicating being confident about doing something. For example:

（1）我们应该把那些敢说真话的人当成"镜子"，这样才能及时发现自己的缺点。

（2）小时候我总喜欢躺在床上看书，结果眼睛越来越不好，所以从那儿以后我就不敢再躺着看书了。

（3）如果你敢诚实地说出自己对哪方面不了解，并不说明自己比别人差，相反，这样做更能得到别人的尊重。

● 练一练 Practice

完成句子 Complete the sentences.

（1）_____？小心咳嗽得更厉害。（敢）

（2）她打网球打得特别棒，_____。（敢）

（3）老师应该为学生提供一种愉快的学习环境，_____

_____。（敢）

■■■ 根据课文内容回答问题 Answer the questions based on the texts.

课文4：❶ 对于"有什么事情明天再说"这句话，你认为正确吗？为什么？

❷ 根据课文，学汉语应该注意哪些方面的问题？

课文5：❸ 怎么理解"天外有天，人外有人"这句话？

❹ 要是别人问你问题，可是你不会，你会觉得不好意思吗？为什么？

练习
Exercises

1 复述 Retell the dialogues.

课文1：小夏的语气：

马上就要硕士毕业了，我打算出国读博士，……

课文2：王老板的语气：

以前有一个记者问过我为什么能成功，……

课文3：小林的语气：

放假我本来计划回家看父母，……

2 选择合适的词语填空 Choose the proper words to fill in the blanks.

同情　参观　输　郊区　原谅

❶ 虽然得到别人的_____很容易，但要重新让别人再相信你却很难。

❷ 爱批评人或者没有_____心的人是最不受欢迎的，这样的人即使很成功，朋友也很少。

❸ 各位朋友大家好！欢迎来到美丽的海南，这几天就由我带着大家_____

_____。

④ 现在城市里越来越多的人喜欢到＿＿＿＿＿过周末。他们想找一个空气新鲜、安静的地方好好放松一下。

⑤ 生活的关键就是：只要你努力做了，不管是＿＿＿＿＿是赢，都一样精彩。

报名　预习　尊重　推　号码

⑥ A: 你们这个月空调卖得怎么样?

B: 不错，我们现在＿＿＿＿＿出了"以旧换新"的活动，吸引了不少顾客。

⑦ A: 他什么时候能和我玩儿?

B: 等他＿＿＿＿＿完课文再跟你玩儿，奶奶先陪你做游戏吧。

⑧ A: 我考虑了很久，还是决定离开现在的公司。

B: 既然这样，那我们＿＿＿＿＿你的选择。

⑨ A: 我记得上次关教授把他的手机＿＿＿＿＿给我了，可是不知道写哪儿了。

B: 你当时好像写在本子上了，你看看上面有没有。

⑩ A: 我想＿＿＿＿＿参加一万米长跑比赛，你参加不参加?

B: 恐怕不行，我下星期要考试了。

扩展
Expansion ■■■ 同字词　Words with the Same Character

重：严重、重点、重视、尊重

（1）塑料袋确实很方便，但是它的大量使用也带来了严重的环境污染问题。

（2）解决这个任务没有那么困难，但关键是我们要弄清楚工作的主要目的，找到重点。

（3）她一直都很重视这个机会，最后竟然放弃了，这让我们非常吃惊。

（4）如果是十分重要的朋友，中国人往往会请他们去饭店或餐厅吃，以表示对客人的尊重和礼貌。

- **做一做** Drills

  选词填空　Fill in the blanks with the words given.

  严重　　重点　　重视　　尊重

  ① 我们的车出了点儿问题，但并不是特别＿＿＿＿＿，很快就能解决，所以请大家放心，我们还是按照原计划出发。

  ② 讲话应先讲＿＿＿＿＿，这样才能使别人更快地了解你想说的意思。

  ③ 有些问题虽然看起来很小，但是如果没有引起＿＿＿＿＿，很可能会发展成大麻烦。

  ④ 他这些年做生意赚了不少钱，还拿出很大一部分去帮助那些经济有困难的人，所以获得了大家的＿＿＿＿＿。

运用 Application

1 双人活动　Pair Work

互相了解对方对预习的态度和方式，完成调查表。

Learn about your partner's attitude towards previewing lessons and his/her methods of doing it, and complete the questionnaire below.

	问	答
1	上课前，你有预习的习惯吗？ （如果"没有"，直接到第4题）	
2	预习的时候，一般会预习哪些内容？	
3	你认为预习对课上学习有哪些帮助？	
4	你经常因为什么原因不预习？	
5	除了预习以外，你认为有哪些更好的方法帮助你上课学汉语？	

2 小组活动：机会和努力哪个对成功更重要？

Group Work: Which is more important for success, opportunity or hard work?

有人说成功是因为1%的机会加99%的汗水，你同意这句话吗？向小组成员介绍一下你认为机会和努力对成功来说，哪个更重要呢？（最少用四个下面的结构）

Some say success is 1% opportunity plus 99% perspiration. Do you agree with that? Which do you think is more important for success, opportunity or hard work? Tell your group members about your opinion. (Use at least four of the following structures.)

a. 负责的态度

b. 遇到各种压力

c. 机会都是相同的

d. 无法完成的任务

e. 什么事情都做不成

f. 一切从现在做起

g. 重视平时的积累

h. 得到别人的尊重

文化 CULTURE

只要功夫深，铁杵（chǔ，木棒）磨成针
As Long as You Work Hard Enough, an Iron Pestle Can Be Ground Down to a Needle

李白（701—762），是中国唐朝时期著名的诗人。他小时候对学习很不感兴趣，经常跑到外面玩儿。一天，李白在河边发现一位老婆婆竟然在磨一根铁棒子。李白觉得很好奇，就走过去问老婆婆在干什么。原来老婆婆的孙女要学绣花，她要给孙女做一根绣花针。他听完以后，像大部分孩子一样哈哈大笑，因为他认为把铁棒子磨成绣花针太浪费时间了，等老婆婆磨好了，她孙女可能也变成老婆婆了。可是，老婆婆自信地告诉他："只要功夫深，铁杵磨成针。"听完老婆婆的回答，李白突然明白了一个道理：无论做什么事情，只要坚持就可能成功。从此，李白就开始努力学习、积累知识，最终成为一名伟大的诗人。看完这个故事，你知道努力和坚持对成功有多么重要了吧？

Li Bai (701–762) was a famous poet in the Tang Dynasty of China. When he was young, Li Bai was not interested in learning at all, and he often went out playing. One day, Li Bai saw an old woman grinding an iron pestle by the river. He felt so curious that he went over and asked the old woman what she was doing. It turned out that she was making a needle for her granddaughter to learn embroidery. Having heard this, Li Bai laughed as most kids would do, because he thought it was a waste of time to grind an iron pestle into a needle and that by the day the needle was made, her granddaughter would have turned into an old woman herself. However, the old woman told him with confidence: "As long as you work hard enough, an iron pestle can be ground down to a needle." Suddenly Li Bai realized that perseverance would help one succeed in everything. From then on, Li Bai began to study hard and accumulate knowledge. He finally became a great poet! After reading this story, you must have learned how important hard work and perseverance are to success.

Rén yǔ zìrán
17 人与自然
Humans and nature

热身 **1**
Warm-up

给下边的词语选择对应的图片，并用这个词语根据图片说一个句子。
Match the pictures with the words and describe the pictures with sentences using the words.

rènao
① 热闹_____

sēnlín
② 森林_____

yún
③ 云_____

huópō
④ 活泼_____

lǎohǔ
⑤ 老虎_____

hǎiyáng
⑥ 海洋_____

2

你最喜欢什么动物？为什么？
What's your favorite animal? Why?

你喜欢的动物		样子		特点		喜欢的原因	
狗	☐	小小的	☐	huópō 活泼	☐	好像朋友一样	☐
猫	☐	大大的	☐	安静	☐	好像家人一样	☐
鸟	☐	胖胖的	☐	聪明	☐	jìmò 让我不感到寂寞	☐
熊猫	☐	漂亮	☐	可爱	☐	喜欢照顾它的感觉	☐

课文 **Texts**

1 小夏和安娜在聊天气 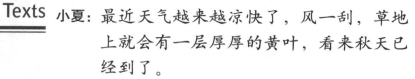 *17-1*

小夏：最近天气越来越凉快了，风一刮，草地上就会有一层厚厚的黄叶，看来秋天已经到了。

安娜：这几天香山特别热闹，随着气温的降低，那里许多植物的叶子都由绿变黄或者变红，吸引了很多游客参观，咱们今天也去看看吧。

小夏：你看天上的云，今天肯定有大雨。再说，香山上看红叶的人太多了。咱们改天去长城吧，广播里说那里也有不少专门看红叶的好地方。

安娜：真可惜，我还想多照点儿香山的照片呢。去长城倒是一个好主意，那我们明天去吧。

小夏：明天恐怕也不行，明天是我爸的生日。

安娜：没关系，那我们再约时间。

生词

1. 凉快 liángkuai
   adj. pleasantly cool
2. 热闹 rènao
   adj. busy, bustling
3. 云 yún
   n. cloud
4. 广播 guǎngbō
   n. broadcast, radio program
5. 照 zhào
   v. to take a picture, to photograph
6. 倒 dào
   adv. (*used to indicate contrast*) yet, actually

专有名词

1. 安娜 Ānnà
   name of a person
2. 香山 Xiāng Shān
   the Fragrant Hill (in Beijing)
3. 长城 Chángchéng
   the Great Wall

2 小林和小李在聊小李的狗 *17-2*

小林：你的这只大黑狗毛真漂亮，而且这么聪明，每次见了都想抱一抱它。

小李：狗是很聪明的动物，只要稍微花点儿时间教教它，它就能学会很多东西。

小林：听你这么一说，我现在也想养一只狗了。每次你让它干什么，它就像能听懂你的话一样去做。你教它是不是用了什么特别的方法？

小李：要让它完成一些任务，只教一次是不够的，应该耐心地一遍一遍地教给它，使它熟悉，然后它就会严格按照你的要求做了。

小林：看来没有想的那么容易。

小李：狗是我们的好朋友，它能听懂人的话，明白人的心情。在你心里难受的时候，它会一直陪着你。

生词

7. 毛 máo
   n. hair, fur
8. 抱 bào
   v. to hold in the arms, to hug
9. 干 gàn
   v. to do, to act
10. 严格 yángé
    adj. strict, rigorous
11. 难受 nánshòu
    adj. sad, unhappy

3 马克和小夏在聊动物　🔊 17-3

马克：上个月我去了趟北京动物园，那里约有500种动物，听导游说北京动物园是亚洲最大的动物园之一。

小夏：去年放暑假的时候，我也去过一次，我在那儿看了马、熊猫、老虎等动物。我特别喜欢熊猫，可惜它们当时大多在睡觉。

马克：我去的那天正赶上六一儿童节，许多父母带着孩子去动物园。入口处排队的人很多，动物园里热闹极了。熊猫们也变得特别活泼，我还给它们照了不少照片呢。

小夏：大熊猫身子胖胖的，样子可爱极了。

马克：不过，它们数量不多，现在全世界一共才有一千多只吧。

小夏：以前只有中国有大熊猫，为了表示友好，从1957年开始，中国把大熊猫作为礼物送给其他一些国家。现在，很多国家的人们在本国都能看到大熊猫了。

生词

12.	趟	tàng
		m. (used for a round trip) time
13.	放暑假	fàng shǔjià
		to be on summer vacation
14.	老虎	lǎohǔ
		n. tiger
15.	入口	rùkǒu
		n. entrance
16.	排队	pái duì
		v. to form a line, to line up
17.	活泼	huópō
		adj. lively, vivacious

专有名词

1.	亚洲	Yàzhōu
		Asia
2.	六一儿童节	Liùyī Értóngjié
		International Children's Day

拼音课文 Texts in *Pinyin*

1. Xiǎo Xià hé Ānnà zài liáo tiānqì

Xiǎo Xià: Zuìjìn tiānqì yuè lái yuè liángkuai le, fēng yì guā, cǎodì shang jiù huì yǒu yì céng hòuhòu de huángyè, kànlái qiūtiān yǐjīng dào le.

Ānnà: Zhè jǐ tiān Xiāng Shān tèbié rènao, suízhe qìwēn de jiàngdī, nàli xǔduō zhíwù de yèzi dōu yóu lǜ biàn huáng huòzhě biàn hóng, xīyǐnle hěn duō yóukè cānguān, zánmen jīntiān yě qù kànkan ba.

Xiǎo Xià: Nǐ kàn tiānshang de yún, jīntiān kěndìng yǒu dà yǔ. Zàishuō, Xiāng Shān shang kàn hóngyè de rén tài duō le. Zánmen gǎitiān qù Chángchéng ba, guǎngbō li shuō nàli yě yǒu bù shǎo zhuānmén kàn hóngyè de hǎo dìfang.

Ānnà: Zhēn kěxī, wǒ hái xiǎng duō zhào diǎnr Xiāng Shān de zhàopiàn ne. Qù Chángchéng dào shì yí ge hǎo zhǔyì, nà wǒmen míngtiān qù ba.

Xiǎo Xià: Míngtiān kǒngpà yě bù xíng, míngtiān shì wǒ bà de shēngrì.

Ānnà: Méi guānxi, nà wǒmen zài yuē shíjiān.

2. Xiǎo Lín hé Xiǎo Lǐ zài liáo Xiǎo Lǐ de gǒu

Xiǎo Lín: Nǐ de zhè zhī dà hēi gǒu máo zhēn piàoliang, érqiě zhème cōngming, měi cì jiànle dōu xiǎng bào yi bào tā.

注释 **1** 倒
Notes

"倒"，动词，把容器倾斜使里面的东西出来。例如：

The verb "倒" means "to pour something from a container". For example:

（1）麻烦你给我倒杯咖啡吧，困死我了。

（2）你怎么咳嗽得这么厉害？我给你倒杯水吧。

"倒"，副词，表示跟意料相反、含责怪语气或表示让步。有时说"倒是"。例如：

The adverb "倒" (yet) meanss contrary to the fact, implies blame or indicates concession. Sometimes "倒是" is used instead. For example:

（3）我以为坐出租车会快些，没想到倒比骑车还慢。（跟意料相反）

（4）你说得倒是容易，做起来可就难了！（责怪语气）

（5）去长城倒是一个好主意，就是太远了。（让步）

● 练一练 Practice

完成对话或句子 Complete the dialogues or sentence.

（1）A: _____。（倒）

　　　B: 好的。你想喝红茶还是绿茶？

Xiǎo Lǐ: Gǒu shì hěn cōngming de dòngwù, zhǐyào shāowēi huā diǎnr shíjiān jiāojiao tā, tā jiù néng xué huì hěn duō dōngxi.

Xiǎo Lín: Tīng nǐ zhème yì shuō, wǒ xiànzài yě xiǎng yǎng yì zhī gǒu le. Měi cì nǐ ràng tā gàn shénme, tā jiù xiàng néng tīngdǒng nǐ de huà yíyàng qù zuò. Nǐ jiāo tā shì bu shì yòngle shénme tèbié de fāngfǎ?

Xiǎo Lǐ: Yào ràng tā wánchéng yìxiē rènwù, zhǐ jiāo yí cì shì bú gòu de, yīnggāi nàixīn de yí biàn yí biàn de jiāo gěi tā, shǐ tā shúxi, ránhòu tā jiù huì yángé ànzhào nǐ de yāoqiú zuò le.

Xiǎo Lín: Kànlái méiyǒu xiǎng de nàme róngyì.

Xiǎo Lǐ: Gǒu shì wǒmen de hǎo péngyou, tā néng tīngdǒng rén de huà, míngbai rén de xīnqíng. Zài nǐ xīn li nánshòu de shíhou, tā huì yìzhí péizhe nǐ.

3. Mǎkè hé Xiǎo Xià zài liáo dòngwù

Mǎkè: Shàng ge yuè wǒ qùle tàng Běijīng Dòngwùyuán, nàli yuē yǒu wǔbǎi zhǒng dòngwù, tīng dǎoyóu shuō Běijīng Dòngwùyuán shì Yàzhōu zuì dà de dòngwùyuán zhī yī.

Xiǎo Xià: Qùnián fàng shǔjià de shíhou, wǒ yě qùguo yí cì, wǒ zài nàr kànle mǎ, xióngmāo, lǎohǔ děng dòngwù. Wǒ tèbié xǐhuan xióngmāo, kěxī tāmen dāngshí dàduō zài shuì jiào.

Mǎkè: Wǒ qù de nà tiān zhèng gǎnshang Liùyī Értóngjié, xǔduō fùmǔ dàizhe háizi qù dòngwùyuán. Rùkǒu chù pái duì de rén hěn duō, dòngwùyuán li rènao jíle. Xióngmāomen yě biànde tèbié huópò, wǒ hái gěi tāmen zhàole bù shǎo zhàopiàn ne.

Xiǎo Xià: Dà xióngmāo shēnzi pàngpàng de, yàngzi kě'ài jíle.

Mǎkè: Búguò, tāmen shùliàng bù duō, xiànzài quán shìjiè yígòng cái yǒu yìqiān duō zhī ba.

Xiǎo Xià: Yǐqián zhǐyǒu Zhōngguó yǒu dà xióngmāo, wèile biǎoshì yǒuhǎo, cóng yī jiǔ wǔ qī nián kāishǐ, Zhōngguó bǎ dà xióngmāo zuòwéi lǐwù sòng gěi qítā yìxiē guójiā. Xiànzài, hěn duō guójiā de rénmen zài běnguó dōu néng kàndào dà xióngmāo le.

（2）我的房间不大，＿＿＿＿＿＿＿＿＿＿＿＿＿＿＿＿＿＿。（倒）

（3）A: 您儿子跟我聊天儿时告诉我，他想大学毕业后就去当演员。

B: 他＿＿＿＿＿＿＿＿＿＿＿＿＿＿＿＿＿＿＿＿。（倒是）

2 干

"干（gàn）"，动词，做（事情），表示从事某种事业、工作、活动。例如：

The verb "干 (gàn)" (to do something) means "to engage in a certain cause, job or activity". For example:

（1）每次你让它干什么，它就像能听懂你的话一样去做。

（2）A: 你这篇报道写得很好，以后要继续努力。

B: 谢谢您，我一定会好好儿干的。

（3）干工作的时候一定要认真、仔细，要注意到计划上的每一个地方，否则就很容易出问题。

注意："干"读 gān 时是形容词，表示没有水分或水分很少。"干（儿）（gānr）"是名词，意思是"经过加工去掉了水分的食品"。例如：

Note: The adjective "干 (gān)" means "dry". The noun "干 (儿) (gānr) " means "dried food". For example:

（4）A: 妈，帮我拿条毛巾，外面雨真大啊！

B: 又忘记带伞了吧？头发都湿了，先把头发擦干，别感冒了。

（5）A: 这牛肉干味道真不错，在哪儿买的？

B: 不是我买的，是我男朋友从老家寄过来的。

● **练一练** Practice

完成对话或句子 Complete the dialogue or sentences.

（1）A:＿＿＿＿＿＿＿＿＿＿＿＿＿＿＿？要我帮忙吗？（干）

B: 我想在这面墙上挂一张中国地图，那面墙上挂一张世界地图。

（2）新来的服务员＿＿＿＿＿＿＿，来吃饭的客人都十分满意。（干）

（3）你们有时间的话多帮帮小王，他手里的工作又多又难，＿＿＿＿＿＿
＿＿＿＿＿＿＿＿＿＿＿＿＿。（干）

3 趟

"趟"，量词，表示往返的次数。例如：

The measure word "趟" indicates the number of round trips. For example:

（1）上个月我去了趟北京动物园，那里约有500多种动物。

（2）我要出趟差，你能帮我照顾一下我的小狗吗?

（3）A: 马上就要放暑假了，你有什么安排吗?

B: 我打算先回一趟家，看看我奶奶，然后回学校准备研究生考试。

● **练一练** Practice

完成对话或句子 Complete the dialogues or sentence.

（1）A: _____，你有什么要买的吗? （趟）

B: 买点儿饼干和巧克力回来吧。

（2）A: 经理，_____，我想请一天假可以吗? （趟）

B: 当然可以。怎么了? 身体不舒服?

（3）今年寒假_____，那里的气候和北方不同，尽管现在是冬天，但那儿非常暖和，还能吃到许多新鲜的水果。 （趟）

比一比 Compare   趟一次

相同点：两者都表示动作的量，用于来回走动的动作，如"来、去、走、跑、接、送"等，经常可以互换。★

Similarity: Both indicate the number of times that an action takes place and are often interchangeable. They are used with actions involving coming and going, such as "来" (to come), "去" (to go), "走" (to walk), "跑" (to run), "接" (to pick up), and "送" (to see off), etc.

今年寒假我去广东玩儿了一趟/次。

不同点：Differences:

1. 表示 ★ 这个意思时，"趟"表示"一去一回"，只用于来回走动的动作行为；而"次"表示动作重复的数量，并不强调"一去一回"这样的过程。

In case ★, "趟" indicates a trip back and forth, only used for actions or behaviors that involve coming and going, while "次" indicates the number of times that an action, not necessarily a back-and-forth one, repeats.

回来的路上我顺便去了趟银行。

小时候，爷爷差不多每个月都带我去看一次京剧。

2. "次"还可以表示其他行为的数量，如"问、说、看、讨论"等；
"趟"没有此用法。

"次" can be used for verbs indicating other behaviors, such as "问" (to ask), "说" (to say), "看" (to look) and "讨论" (to discuss), while "趟" has no such usage.

你这么着急去哪儿啊？我刚才叫了你两次，你都没听到。

3. "趟"还可以用于按时间、路线行驶的公共汽车或火车，相当于
"辆" "列"； "次"没有此用法。

"趟" can also be used for buses or trains that travel at a scheduled time on a fixed route, similar to "辆" (a measure word for vehicles) and "列" (a measure word for trains), while "次" cannot be used this way.

附近有好几趟公共汽车都能到我工作的公司。

● 做一做 Drills

选词填空 Tick or cross

	趟	次
（1）去年放暑假的时候，我去了一_____北京动物园。	✓	✓
（2）我们去_____超市吧，明天出去玩儿得买点儿饼干和面包。	✓	×
（3）中午我给你打了好几_____电话，你怎么都不接呢？		
（4）他没赶上最后一_____公共汽车，只好坐出租车回家了。		
（5）西红柿鸡蛋汤的做法很简单，我保证你一_____就能学会。		

■■ 根据课文内容回答问题 Answer the questions based on the texts.

课文1：❶ 现在是什么季节？天气怎么样？

❷ 安娜打算做什么？小夏为什么不同意？小夏有什么建议？

课文2：❸ 小林为什么喜欢小李的狗？他为什么也想养狗？

❹ 教狗完成一些任务可以用什么方法？

课文3：❺ 马克什么时候去的北京动物园？他去那儿做什么了？

❻ 请介绍一下小夏最喜欢的动物。

课文 **4** 🖸 *17-4*
Texts

不仅社会上的人与人之间有竞争，森林里的各种植物之间也有竞争，这一点儿也不奇怪。植物会为了阳光、空气和水而竞争。一些高大的植物往往能获得更多的阳光、空气和水，而剩下的一些比较低矮的植物就只能长在这些高大植物的下面。由于气候条件不同，世界各地植物叶子的样子也很不相同。在暖和、水分比较多的地方，叶子往往长得又大又厚；在阳光特别厉害、水分少的地方，叶子就会长得又细又长。

生词

18. 社会	shèhuì	n. society
19. 竞争	jìngzhēng	v. to compete
20. 森林	sēnlín	n. forest
21. 剩	shèng	v. to be left over, to remain
22. 暖和	nuǎnhuo	adj. warm

5 🖸 *17-5*

地球上大约71%的地方是蓝色的海洋，在美丽的海底世界里，生活着各种各样的植物和动物。我们小时候都听过美人鱼的故事，其实真正的海底世界比故事里写的更美。科学研究发现，海洋底部看上去非常安静，然而却不是一点儿声音也没有，海底的动物们一直在"说话"，只不过人的耳朵是听不到的。另外，就算在几公里深的海底也仍然能看到东西，许多鱼会发出各种颜色的亮光，像一个个排列起来的灯，美极了，就像在梦里一样。

生词

23. 海洋	hǎiyáng	n. sea, ocean
24. 底	dǐ	n. bottom, base
* 25. 美人鱼	Měirényú	n. mermaid
26. 公里	gōnglǐ	m. kilometer
27. 仍然	réngrán	adv. still, yet
28. 排列	páiliè	v. to put in order, to arrange
29. 梦	mèng	n. dream

拼音课文 Texts in *Pinyin*

4

Bùjǐn shèhuì shang de rén yǔ rén zhījiān yǒu jìngzhēng, sēnlín li de gè zhǒng zhíwù zhījiān yě yǒu jìngzhēng, zhè yìdiǎnr yě bù qíguài. Zhíwù huì wèile yángguāng、kōngqì hé shuǐ ér jìngzhēng. Yìxiē gāodà de zhíwù wǎngwǎng néng huòdé gèng duō de yángguāng、kōngqì hé shuǐ, ér shèngxià de yìxiē bǐjiào dī'ǎi de zhíwù jiù zhǐ néng zhǎng zài zhèxiē gāodà zhíwù de xiàmiàn. Yóuyú qìhòu tiáojiàn bù tóng, shìjiè gè dì zhíwù yèzi de yàngzi yě hěn bù xiāngtóng. Zài nuǎnhuo、shuǐfèn bǐjiào duō de dìfang, yèzi wǎngwǎng zhǎng de yòu dà yòu hòu; zài yángguāng tèbié lìhai、shuǐfèn shǎo de dìfang, yèzi jiù huì zhǎng de yòu xì yòu cháng.

5

Dìqiú shang dàyuē bǎi fēnzhī qīshíyī de dìfang shì lánsè de hǎiyáng, zài měilì de hǎidǐ shìjiè li, shēnghuózhe gè zhǒng gè yàng de zhíwù hé dòngwù. Wǒmen xiǎoshíhou dōu tīngguo Měirényú de gùshi, qíshí zhēnzhèng de hǎidǐ shìjiè bǐ gùshi li xiě de gèng měi. Kēxué yánjiū fāxiàn, hǎiyáng dǐbù kàn shangqu fēicháng ānjìng, rán'ér què bú shì yìdiǎnr shēngyīn yě méiyǒu, hǎidǐ de dòngwùmen yìzhí zài "shuō huà", zhǐ bú guò rén de ěrduǒ shì tīng bú dào de. Lìngwài, jiùsuàn zài jǐ gōnglǐ shēn de hǎidǐ yě réngrán néng kàndào dōngxi, xǔduō yú huì fāchū gè zhǒng yánsè de liàngguāng, xiàng yí gègè páiliè qilai de dēng, měi jíle, jiù xiàng zài mèngli yíyàng.

注释 Notes　4　为了……而……

"为了……而……"结构中，前一分句表示后一分句动作行为的目的。"为了"后面跟词或者词组。例如：

In the structure "为了……而……", the first clause indicates the purpose of the action or behavior in the second clause. "为了" is followed by a word or phrase. For example:

（1）植物会为了阳光、空气和水而竞争。

（2）北风与南风为了比谁更有能力而吵了起来。它们决定，谁能把人们身上的大衣脱掉，谁就赢了。

（3）自然界中，不少动物和植物为了保护自己而改变身体的颜色或样子，使自己成为周围环境的一部分。

● 练一练 Practice

完成句子 Complete the sentences.

（1）胖一点儿没关系，健康最重要。千万不要＿＿＿＿＿＿＿＿＿＿

＿＿＿＿＿＿＿＿＿＿。（为了……而……）

（2）我们不应该_____，

应该让钱为我们工作。　　　　　　　　　　（为了……而……）

（3）不要_____，找时间陪陪父母吧，或者给他们打个

电话，不要等到来不及的时候才感到后悔。　（为了……而……）

5　仍然

"仍然"，副词，表示跟原来情况一样，没有变化。例如：

The adverb "仍然" means the situation is the same as before without any change. For example:

（1）就算在几公里深的海底也仍然能看到东西。

（2）人比动物聪明，但动物仍然有很多值得人学习的地方。

（3）足球决赛时，如果90分钟后仍然是0比0，按照规定，可以进行

加时赛来决定输赢。

● **练一练**　Practice

完成句子或对话　Complete the sentences or dialogue.

（1）A: 我又跟我丈夫谈了这件事，_____。（仍然）

B: 你再跟他好好儿商量一下。

（2）尽管这只是一场误会，_____。（仍然）

（3）一个70岁还有梦的老人，_____；一个20岁

就放弃了理想的人，心已经老了。　　　　　　（仍然）

根据课文内容回答问题　Answer the questions based on the texts.

课文4：❶ 植物之间会竞争吗？它们会为了什么而竞争？

❷ 为什么世界各地植物叶子的样子会不同？有什么不同？

课文5：❸ 海洋在地球上占多大比例？海底世界里有什么？

❹ 科学研究发现，在海洋底部能听到什么？能看到什么？

练习
Exercises

1 复述　Retell the dialogues.

课文1：安娜的语气：

　　　　最近天气越来越凉快了，……

课文2：小林的语气：

　　　　小李家的大黑狗又聪明又漂亮，……

课文3：马克的语气：

　　　　上个月我去了趟北京动物园，……

2 选择合适的词语填空　Choose the proper words to fill in the blanks.

广播　　尊重　　剩　　照　　底

❶ 这本小说就_____十几页了，我想看看最后到底怎么样了。

❷ 刚才听_____说明天可能会下大雨，足球比赛恐怕要推迟了。

❸ 您看这个沙发怎么样？我们年_____有活动，正在打折，比平时便宜了一千块。

❹ 不管男人还是女人，只要能在自己的工作中取得好的成绩，都应该赢得_____。

❺ 很多自行车后面都有一个灯，虽然小，但用处却很大。每当后面汽车的灯光_____到它时，它就会反光，这样就能提醒司机前方有人。

难受　　暖和　　活泼　　凉快　　热闹

❻ A: 下了雨，_____多了，前几天实在是太热了。

　　B: 是啊，前两天晚上热得都睡不着，今天终于能睡个好觉了。

❼ A: 你经常参加学校举办的舞会吗？

　　B: 不，我从来没参加过，我不太喜欢_____。

❽ A: 工作半天了，起来活动活动。

　　B: 好，坐久了确实有些_____。

⑨ A: 小李，我给你介绍个女朋友吧，说说你有什么条件。

B: 我，我喜欢＿＿＿＿＿＿＿可爱的女孩子。

⑩ A: 今天很＿＿＿＿＿＿＿，外面一点儿也不冷，你不用穿这么多衣服。

B: 好的，那我脱掉一件。

扩展
Expansion

同字词　Words with the Same Character

然：既然、竟然、仍然、突然

（1）既然知道是你错了，那你就该主动向他道歉。

（2）让人吃惊的是，这本小说的作者竟然是个十几岁的中学生，他写这本书时才上高中二年级。

（3）去年放暑假的时候我去了一趟云南。现在回忆起来，我仍然觉得那是一次愉快的旅行，非常难忘。

（4）那天的事情太突然了，李先生也没想到会弄成这个样子，他当时并不是故意的。

● **做一做** Drills

选词填空　Fill in the blanks with the words given.

既然　　竟然　　仍然　　突然

❶ 真是没想到，四年的大学生活＿＿＿＿＿＿＿这么快就结束了！

❷ A: 刚才太危险了，那辆车怎么回事？

B: 不知道，＿＿＿＿＿＿＿加速，估计是新手，刚学会开车。

❸ 只要你不放弃努力，就＿＿＿＿＿＿＿有希望。你总会找到一条合适的路，通往成功的目的地。

❹ 世界上有一种药是肯定买不到的，那就是"后悔药"。有些事情过去了就是过去了，再也不能回头。＿＿＿＿＿＿＿不能重新来过，那么就把那些过去的事情放在心里，当成一种回忆，然后勇敢地抬起头向前看，走好以后的路。

运用 **Application**

1 双人活动　Pair Work

互相了解对方关于保护自然的看法，完成调查表。

Learn about each other's opinions on the conservation of nature and complete the questionnaire below.

	问	答
1	哪些动物应该得到保护？为什么？	
2	你同意用动物做实验吗？为什么？	
3	你会买用动物的皮毛做的衣服吗？为什么？	
4	植物对你的生活有哪些影响？	
5	如果没有森林，世界会变成什么样子？	
6	海洋跟我们的生活有什么关系？	

2 小组活动　Group Work

动物、植物和海洋都是大自然的一部分，它们有什么特点？随着社会的发展，它们发生了哪些变化？你认为怎样做才能更好地保护它们？请向小组成员介绍一下。（最少用四个下面的结构）

Animals, plants and oceans, all of them are part of the nature. What characteristics do they have? With the development of the society, what changes have taken place to them? What do you think we should do to better protect them? Tell your group members about your opinion. (Use at least four of the following structures.)

a. 随着气温的降低　　　　　e. 这一点儿也不奇怪

b. 只要稍微花点儿时间　　　f. 科学研究发现

c. 一直陪着你　　　　　　　g. 看来没有想的那么容易

d. 数量不多　　　　　　　　h. 为了表示友好

文化 CULTURE

中国国宝大熊猫 The National Treasure of China–Giant Panda

　　大熊猫是中国国家一级保护动物。它的身体只有黑色和白色两种颜色，它有着圆圆的脸，大大的黑眼圈，胖胖的身体，非常可爱。大熊猫已经在地球上生活了至少800万年，人们叫它"活化石"和"中国国宝"。大熊猫最开始是吃肉的，经过进化，现在它们的食物99%是竹子了。野外大熊猫现在主要生活在中国四川、陕西和甘肃的山区，一般能活到18~20岁；圈养的大熊猫可以超过30岁。大熊猫每天有一半的时间用来吃东西，剩下的一半时间多数是在睡觉。在野外，大熊猫在每两次吃东西的中间睡2~4个小时，即使在睡觉的时候，大熊猫看起来也很可爱。

　　The giant panda is a first-class national protected and endangered animal of China. It is black and white; it has a round face, big black eye patches and a chubby body. It is one of the most lovable animals in the world. Having existed on the earth for at least eight million years, giant pandas are known as "living fossils" and "the national treasure of China". At first, giant pandas were carnivores, but then evolution happened, and now bamboos make up 99% of the food they eat. Today, wild pandas mainly live in the mountainous areas in Sichuan, Shaanxi and Gansu of China; they usually live to 18–20 years old, while captive pandas can live more than 30 years. Each day, giant pandas spend half the time eating and most of the other half sleeping. In the wild, giant pandas take a sleep of 2–4 hours between every two meals; they look lovable even when they are sleeping.

18

Kējì   yǔ   shìjiè
科技与世界
Science, technology and the world

热身 **1**
Warm-up

给下边的词语选择对应的图片，并用这个词语根据图片说一个句子。
Match the pictures with the words and describe the pictures with sentences using
the words.

A

B

C

D

E

F

mìmǎ
❶ 密码_____

xìnxī
❷ 信息_____

jǔ
❸ 举_____

wēixiǎn
❹ 危险_____

jiāotōng
❺ 交通_____

fùkuǎn
❻ 付款_____

2　请填写关于手机使用情况的调查问卷。
Fill in the questionnaire about the use of cell phones.

一般用手机		每个月的手机话费		选择手机最看重		最喜欢的其他功能	
打电话	☐	50元以下	☐	样子漂亮	☐	音乐	☐
发短信	☐	50–100元	☐	价格便宜	☐	照相	☐
听音乐	☐	100–200元	☐	gōngnéng 功能　　多	☐	上网	☐
玩儿游戏	☐	200–300元	☐	售后服务好	☐	游戏	☐
上网	☐	300元以上	☐	流行	☐	聊天儿	☐

课文 Texts

1 王静给孙月推荐一本书 💿 *18-1*

孙月：上次女儿问我飞机是怎么起飞和降落的，真不知道该怎么回答她，她现在总是有各种各样的"为什么"。

王静：孩子眼中的世界是美丽和奇特的。有一本书叫《新十万个为什么》，现在卖得非常火。书里的内容都是儿童想知道的科学知识，相信你女儿一定喜欢读。

孙月：难道它和我们小时候看的《十万个为什么》不一样吗？作者是谁啊？

王静：作者的名字我没记住。《新十万个为什么》的内容更新，介绍了各种科学知识，包括地球、动物、植物、交通、科学技术、社会和文化等很多方面。

孙月：太好了！不过她这么小，我不知道她是否能读懂。

王静：放心吧，这本书的语言简单易懂，一定能增长孩子的科学知识。

生词

1. 降落　jiàngluò
   v. to descend, to land
2. 火　huǒ
   adj. hot, popular
3. 作者　zuòzhě
   n. author
4. 交通　jiāotōng
   n. traffic, communication
5. 技术　jìshù
   n. technology
6. 是否　shìfǒu
   adv. if, whether

拼音课文 Texts in *Pinyin*

1. Wáng Jìng gěi Sūn Yuè tuījiàn yì běn shū

Sūn Yuè: Shàng cì nǚ'ér wèn wǒ fēijī shì zěnme qǐfēi hé jiàngluò de, zhēn bù zhīdào gāi zěnme huídá tā, tā xiànzài zǒngshì yǒu gè zhǒng gè yàng de "wèi shénme".

Wáng Jìng: Háizi yǎnzhōng de shìjiè shì měilì hé qítè de. Yǒu yì běn shū jiào《Xīn Shíwàn Ge Wèi Shénme》, xiànzài mài de fēicháng huǒ. Shū li de nèiróng dōu shì értóng xiǎng zhīdào de kēxué zhīshi, xiāngxìn nǐ nǚ'ér yídìng xǐhuan dú.

Sūn Yuè: Nándào tā hé wǒmen xiǎoshíhou kàn de《Shíwàn Ge Wèi Shénme》bù yíyàng ma? Zuòzhě shì shéi a?

Wáng Jìng: Zuòzhě de míngzi wǒ méi jìzhù.《Xīn Shíwàn Ge Wèi Shénme》de nèiróng gèng xīn, jièshàole gè zhǒng kēxué zhīshi, bāokuò dìqiú、dòngwù、zhíwù、jiāotōng、kēxué jìshù、shèhuì hé wénhuà děng hěn duō fāngmiàn.

Sūn Yuè: Tài hǎo le! Búguò tā zhème xiǎo, wǒ bù zhīdào tā shìfǒu néng dúdǒng.

Wáng Jìng: Fàngxīn ba, zhè běn shū de yǔyán jiǎndān yìdǒng, yídìng néng zēngzhǎng háizi de kēxué zhīshi.

2 李老师和高老师在聊电脑和互联网技术的发展 💿 *18-2*

李老师：现在的大学生一遇到不明白的问题，
可以马上在网上查找答案，几秒钟就
把问题解决了，这比我们上学的时候
方便多了。

高老师：现在的人们，尤其是大学生开始普遍
使用电脑，他们的生活已经离不开电
脑。据调查，70%的人遇到问题时，
首先想到的就是上网找答案。

李老师：电脑和互联网技术的发展使学生们的
学习方式发生了很多变化，不过天天
对着电脑看，眼睛实在受不了。

高老师：不仅是学习方式，而且连生活方式也
发生了很大改变。现在越来越多的学
生喜欢在网上写日记，他们说这样可
以让朋友及时了解自己的生活。

李老师：这个办法不错，既能方便大家的交
流，还能节约用纸，保护环境。但是
如果别人都能看到我的日记的话，多
不安全啊！

高老师：放心吧，可以给网上的日记加密码，那
样只有得到了允许，别人才能看到。

生词

7. 秒　miǎo
m. second, 1/60
minute

*8. 方式　fāngshì
n. way, mode

9. 受不了　shòubuliǎo
cannot stand, cannot
bear

10. 日记　rìjì
n. diary, journal

11. 安全　ānquán
adj. safe, secure

12. 密码　mìmǎ
n. password

13. 允许　yǔnxǔ
v. to allow, to permit

2. Lǐ lǎoshī hé Gāo lǎoshī zài liáo diànnǎo hé hùliánwǎng jìshù de fāzhǎn

Lǐ lǎoshī: Xiànzài de dàxuéshēng yí yùdào bù míngbai de wèntí, kěyǐ mǎshàng zài wǎngshang cházhǎo dá'àn, jǐ miǎo zhōng jiù bǎ wèntí jiějué le, zhè bǐ wǒmen shàng xué de shíhou fāngbiàn duō le.

Gāo lǎoshī: Xiànzài de rénmen, yóuqí shì dàxuéshēng kāishǐ pǔbiàn shǐyòng diànnǎo, tāmen de shēnghuó yǐjīng lí bu kāi diànnǎo. Jù diàochá, bǎi fēnzhī qīshí de rén yùdào wèntí shí, shǒuxiān xiǎngdào de jiù shì shàng wǎng zhǎo dá'àn.

Lǐ lǎoshī: Diànnǎo hé hùliánwǎng jìshù de fāzhǎn shǐ xuéshengmen de xuéxí fāngshì fāshēngle hěn duō biànhuà, búguò tiāntiān duìzhe diànnǎo kàn, yǎnjing shízài shòubuliǎo.

Gāo lǎoshī: Bùjǐn shì xuéxí fāngshì, érqiě lián shēnghuó fāngshì yě fāshēngle hěn dà gǎibiàn. Xiànzài yuè lái yuè duō de xuésheng xǐhuan zài wǎngshang xiě rìjì, tāmen shuō zhèyàng kěyǐ ràng péngyou jíshí liǎojiě zìjǐ de shēnghuó.

Lǐ lǎoshī: Zhège bànfǎ búcuò, jì néng fāngbiàn dàjiā de jiāoliú, hái néng jiéyuē yòng zhǐ, bǎohù huánjìng. Dànshì rúguǒ biérén dōu néng kàndào wǒ de rìjì de huà, duō bù ānquán a!

Gāo lǎoshī: Fàng xīn ba, kěyǐ gěi wǎngshang de rìjì jiā mìmǎ, nàyàng zhǐyǒu dédàole yǔnxǔ, biérén cái néng kàndào.

3 王静和孙月在聊关于梦的情况 18-3

王静：我昨天晚上做了一个特别奇怪的梦，梦到自己正在一座桥上走，走着走着，突然开过来一辆车，非常危险，接着又梦见我跳到车上，跟警察一起抓住了一个坏人。

孙月：奇怪，你怎么总能记住自己做了什么梦？我好像从来没做过梦。

王静：每个人都会做梦，区别只是有多有少。有的人睡醒之后还记得梦里的事情，有的人却记不清楚了。你之所以觉得从来没做过梦，只不过是忘记了。

孙月：你说的有道理，我一般都是一觉睡到天亮。很多人认为做梦是上天要告诉他们将来会发生的一些事情，可能上天不想让我知道吧。

王静：一般晚上睡觉时，身体感觉到什么，人就容易梦到什么内容。记得有一次，我晚饭吃得太咸，那天晚上就梦见自己到处找商店买矿泉水。

孙月：很多人都试着对梦进行解释，有些人甚至专门写过这方面的书，可惜到现在仍然没有一个科学的说法。

生词

14. 座　zuò
m. used for bridges, mountains, buildings, etc.

15. 桥　qiáo
n. bridge

16. 危险　wēixiǎn
adj. dangerous

17. 接着　jiēzhe
adv. then, immediately after that

18. 警察　jǐngchá
n. police

*19. 抓　zhuā
v. to catch, to arrest

20. 咸　xián
adj. salty

21. 矿泉水　kuàngquánshuǐ
n. mineral water

3. Wáng Jìng hé Sūn Yuè zài liáo guānyú mèng de qíngkuàng

Wáng Jìng: Wǒ zuótiān wǎnshang zuòle yí ge tèbié qíguài de mèng, mèngdào zìjǐ zhèngzài yí zuò qiáo shang zǒu, zǒuzhe zǒuzhe, tūrán kāi guolai yí liàng chē, fēicháng wēixiǎn, jiēzhe yòu mèngjiàn wǒ tiàodào chē shang, gēn jǐngchá yìqǐ zhuāzhùle yí ge huàirén.

Sūn Yuè: Qíguài, nǐ zěnme zǒng néng jìzhù zìjǐ zuòle shénme mèng? Wǒ hǎoxiàng cónglái méi zuòguo mèng.

Wáng Jìng: Měi ge rén dōu huì zuò mèng, qūbié zhǐshì yǒu duō yǒu shǎo. Yǒude rén shuì xǐng zhīhòu hái jìde mèng li de shìqing, yǒude rén què jì bu qīngchu le. Nǐ zhī suǒyǐ juéde cónglái méi zuòguo mèng, zhǐ búguò shì wàngjì le.

Sūn Yuè: Nǐ shuō de yǒu dàolǐ, wǒ yìbān dōu shì yí jiào shuìdào tiānliàng. Hěn duō rén rènwéi zuò mèng shì shàngtiān yào gàosu tāmen jiānglái huì fāshēng de yìxiē shìqing, kěnéng shàngtiān bù xiǎng ràng wǒ zhīdào ba.

Wáng Jìng: Yìbān wǎnshang shuì jiào shí, shēntǐ gǎnjuédào shénme, rén jiù róngyì mèngdao shénme nèiróng. Jìde yǒu yí cì, wǒ wǎnfàn chī de tài xián, nà tiān wǎnshang jiù mèngjiàn zìjǐ dàochù zhǎo shāngdiàn mǎi kuàngquánshuǐ.

Sūn Yuè: Hěn duō rén dōu shìzhe duì mèng jìnxíng jiěshì, yǒuxiē rén shènzhì zhuānmén xiěguo zhè fāngmiàn de shū, kěxī dào xiànzài réngrán méiyǒu yí ge kēxué de shuōfǎ.

注释 Notes

1 是否

"是否"，副词，是不是，一般用于书面语。例如：

The adverb "是否" means "whether or not", usually used in written Chinese. For example:

（1）不过她这么小，这本书我不知道她是否能读懂。

（2）有人认为有"夫妻相"的夫妻家庭生活幸福，实际上，婚姻是否幸福跟这个没有关系。

（3）现在，如果要问人们选择职业时主要考虑的是什么，不少人会以收入多少作为标准。当然，也有人主要看自己是否喜欢这份工作。

● 练一练 Practice

完成句子或对话 Complete the sentences or dialogue.

（1）A: 麻烦你帮我改签到后天的同一航班。

B: 您稍等，我查一下＿＿＿＿＿＿＿＿＿＿＿＿＿＿＿。（是否）

（2）当我们听到批评时，应该冷静地想想他们提出的意见或者建议＿＿＿＿＿＿＿＿＿＿＿＿＿＿＿。（是否）

（3）一个人＿＿＿＿＿＿＿＿＿＿＿＿＿＿＿，对于他离成功的远近有着重要的影响。（是否）

2 受不了

"受不了"，表示不能忍受（疼痛、痛苦、压力、不幸、态度、脾气等），一般用在名词或名词性短语前。例如：

"受不了" means "cannot bear (the pain, suffering, stress, misfortune, attitude, temper, etc.)", usually used before a noun or noun phrase. For example:

（1）A: 我们再去对面的商店看看吧。

B: 我真的受不了你了，你到底还要逛多久？

（2）不过天天对着电脑看，眼睛实在受不了。

（3）A: 真受不了这样的老师！一个简单的动作让我们练二三十遍。

B: 他对你们严格些好，这样可以让你们打好基础。

● 练一练 Practice

完成对话 Complete the dialogues.

（1）A:＿＿＿＿＿＿＿＿，你桌子上太乱了，找时间好好儿整理一下。

B: 好的，我现在就收拾，一定弄得整整齐齐。（受不了）

（2）A: 开一下窗户吧，_____。（受不了）

    B: 是你穿得太多了，把外面那件衣服脱了吧。

（3）A: 你怎么又想换工作了？这儿的收入不是挺高的吗？

    B: 可是_____。（受不了）

3 接着

"接着"，副词，（时间上）紧跟着，表示在前面发生的情况以后马上发生了另外的情况。例如：

The adverb "接着" means "following immediately (in time)", indicating (something else happens) right after the previous event. For example:

（1）这本书的内容非常有趣，你看完以后先不要还，我接着看。

（2）我昨天晚上做了一个特别奇怪的梦，梦到自己正在一座桥上走，走着走着，突然开过来一辆车，非常危险，接着又梦见我跳到车上，跟警察一起抓住了一个坏人。

（3）妻子问："老公，怎么不见你和老王打网球了呢？"丈夫说："你愿意和一个赢了就得意，输了就不高兴的人打球吗？""当然不愿意。我明白了，"妻子接着说，"老王也不愿意跟这样的人打。"

● **练一练** Practice

完成对话或句子 Complete the dialogue or sentences.

（1）A: 我刚才去打网球了，热死我了，快给我拿条毛巾吧。

    B: _____。（接着）

（2）他每天很早起床去锻炼，_____。（接着）

（3）遇到不认识的词语，我会马上查词典，_____。（接着）

比一比 Compare 接着—然后

相同点：两者都表示在前面发生的情况以后发生了另外的情况。★

Similarity: Both indicate (something else happens) after the previous event.

    他毕业后在老家工作了一年，接着/然后又考上了北京大学，读研究生。

不同点：Differences:

1. 表示★这个意思时，"接着"是副词，强调在时间上紧跟着；而"然后"是连词，多用于"先……然后（再）……"的结构中。

In case ★, "接着" is an adverb emphasizing an immediate succession in time, while "然后" is a conjunction often used in the structure "先……然后（再）……" (first…, then…).

大学毕业后，他接着又考上了研究生。

咱们先去吃晚饭，然后看电影，好不好？

2. "接着"的主语可以相同，也可以不同；"然后"的主语一般相同。

For "接着", the two events may or may not have the same subject, but for "然后", they usually share the same subject.

他已经学了一年汉语了，明年还要接着学。

这本书你看完了我接着看吧。

遇到不认识的词语，我会马上查词典，然后写在本子上。

● 做一做 Drills

选词填空 Tick or cross

	接着	然后
（1）妹妹刚参加工作一年就买了房子，_____就结了婚，今年又生了一个小男孩儿，生活得很幸福。	✓	✓
（2）我说完了，你_____说吧。	✓	✗
（3）你先上网看看吧，多比较比较，_____再做决定。		
（4）进了商店，妻子先买了一件衬衫，_____又买了一条裤子。		
（5）今天的课就到这儿，下节课_____讲这个问题。		

根据课文内容回答问题 Answer the questions based on the texts.

课文1：❶ 王静给孙月推荐了一本什么书？为什么给她推荐这本书？

❷ 这本书都有哪些内容？孙月担心什么？王静觉得这本书怎么样？

课文2：❸ 现在的大学生遇到不明白的问题怎么办？调查结果是什么？

❹ 电脑和互联网技术的发展带来了哪些变化？网上写日记有哪些好处？

课文3：❺ 王静昨天晚上做了个什么样的梦？会有人从来没做过梦吗？

❻ 人们对梦进行过哪些解释？目前的研究结果是什么？

课文 4　Texts　💿 18-4

现在手机不但价格降低了，而且作用也越来越大，打电话、发短信已经成了人们普遍使用的联系方法。除此以外，你还可以用它来听音乐、看电影、阅读、玩儿游戏、付款购物等，这大大方便了人们的生活。举一个例子，迷路时，只要用手机地图查一下地址，马上就能知道怎么去那个地点。现在的手机更像是一部可以拿在手中的电脑，现代人的生活已经越来越离不开手机了。

生词

22. 付款　fù kuǎn
    to pay a sum of money
23. 举　jǔ
    v. to give, to enumerate
24. 迷路　mí lù
    v. to lose one's way
25. 地址　dìzhǐ
    n. address
26. 地点　dìdiǎn
    n. place, site

5　💿 18-5

21世纪，我们的生活发生了巨大变化。几千公里以外的国家，以前坐船需要几个月，现在乘坐飞机不过十几个小时。原来寄信需要好几天，现在连邮局都不用去，只要在家里上网发个电子邮件，用不了一分钟，远处的朋友就能收到，比写信封用的时间都短。以前外地的新闻要几天后才能知道，现在只要打开网站，任何信息都可以在第一时间获得。现代科学技术的发展让世界变得越来越小，所以现在人们都把地球叫作"地球村"。

生词

27. 世纪　shìjì
    n. century
28. 邮局　yóujú
    n. post office
29. 收　shōu
    v. to receive
30. 信封　xìnfēng
    n. envelope
31. 网站　wǎngzhàn
    n. website
32. 信息　xìnxī
    n. news, information

拼音课文 Texts in *Pinyin*

4

Xiànzài shǒujī búdàn jiàgé jiàngdī le, érqiě zuòyòng yě yuè lái yuè dà, dǎ diànhuà、fā duǎnxìn yǐjīng chéngle rénmen pǔbiàn shǐyòng de liánxì fāngfǎ. Chú cǐ yǐwài, nǐ hái kěyǐ yòng tā lái tīng yīnyuè、kàn diànyǐng、yuèdú、wánr yóuxì、fù kuǎn gòuwù děng, zhè dàdà fāngbiànle rénmen de shēnghuó. Jǔ yí ge lìzi, mí lù shí, zhǐyào yòng shǒujī dìtú chá yíxià dìzhǐ, mǎshàng jiù néng zhīdào zěnme qù nàge dìdiǎn. Xiànzài de shǒujī gèng xiàng shì yí bù kěyǐ ná zài shǒu zhōng de diànnǎo, xiàndài rén de shēnghuó yǐjīng yuè lái yuè lí bu kāi shǒujī le.

5

Èrshíyī shìjì, wǒmen de shēnghuó fāshēngle jùdà biànhuà. Jǐqiān gōnglǐ yǐwài de guójiā, yǐqián zuò chuán xūyào jǐ ge yuè, xiànzài chéngzuò fēijī bú guò shíjǐ ge xiǎoshí. Yuánlái jì xìn xūyào hǎojǐ tiān, xiànzài lián yóujú dōu búyòng qù, zhǐyào zài jiāli shàng wǎng fā ge diànzǐ yóujiàn, yòng bu liǎo yì fēnzhōng, yuǎnchù de péngyǒu jiù néng shōudào, bǐ xiě xìnfēng yòng de shíjiān dōu duǎn. Yǐqián wàidì de xīnwén yào jǐ tiān hòu cái néng zhīdào, xiànzài zhǐyào dǎ kāi wǎngzhàn, rènhé xìnxī dōu kěyǐ zài dì-yī shíjiān huòdé. Xiàndài kēxué jìshù de fāzhǎn ràng shìjiè biànde yuè lái yuè xiǎo, suǒyǐ xiànzài rénmen dōu bǎ dìqiú jiàozuò "Dìqiú cūn".

注释 Notes 4　除此以外

"除此以外"，相当于"除了这个（指代前面所说的内容）以外"，一般用于书面语。例如：

"除此之外" means "besides this (referring to what's been mentioned previously)", usually used in written Chinese. For example:

（1）他和弟弟同一天出生，兄弟俩长得很像，但除此以外几乎再找不到其他共同点。

（2）北方人过年时爱吃饺子，是因为饺子味道鲜美，除此以外，还因为人们忙了一年，过年时全家人坐在一起包饺子，是很好的交流机会。

（3）……打电话、发短信已经成了人们普遍使用的联系方法。除此以外，你还可以用它来听音乐、看电影、阅读、玩儿游戏、付款购物等，这大大方便了人们的生活。

● **练一练** Practice

完成句子 Complete the sentences.

（1）骑自行车是一种很好的、锻炼身体的方式。＿＿＿＿＿＿＿

＿＿＿＿＿＿＿＿＿＿＿＿＿＿＿＿＿＿＿＿。（除此以外）

（2）冬季皮肤往往容易变得干燥，女性朋友尤其要注意保护皮肤。
应该选择保湿的护肤品，＿＿＿＿＿＿＿＿＿＿。（除此以外）

（3）了解顾客的实际需要十分重要。买东西时，顾客当然会考虑它
的质量和价格，＿＿＿＿＿＿＿＿＿＿＿＿。（除此以外）

5 把……叫作……

"把……叫作……"，后面是前面的名称。"把"后面一般跟名词、代词
或名词短语。例如：

In the structure "把……叫作……" (…is called…), the latter part is the name of the
former part. "把" is usually followed by a noun, pronoun or noun phrase. For example:

（1）现代科学技术的发展让世界变得越来越小，所以现在人们都把
地球叫作"地球村"。

（2）黄河是中国第二大河，从中国西部流向东部，全长5464公里，
人们把它叫作"母亲河"。

（3）中国人搬了新家后，一般都会邀请亲戚朋友到家里来吃顿饭，
热闹一下。人们把这个习惯叫作"暖房"。

● **练一练** Practice

完成句子 Complete the sentences.

（1）在汉语里，像"海""河"这些字左边的部分是一样的，＿＿＿＿

＿＿＿＿＿＿＿＿＿＿＿＿＿＿＿＿＿。（把……叫作……）

（2）中国有56个民族，其中汉族人的数量最多，汉族以外的55个民
族由于人数较少，＿＿＿＿＿＿＿＿＿＿＿＿＿＿。

（把……叫作……）

（3）东西的质量和价格是有联系的，质量好的东西一般价格也会比
较高。人们习惯上＿＿＿＿＿＿＿＿＿＿＿＿＿＿＿＿。

（把……叫作……）

■■■ 根据课文内容回答问题　Answer the questions based on the texts.

课文4：❶ 手机都有哪些作用？迷路时怎么用手机帮忙？

　　　　❷ 为什么说现代人的生活越来越离不开手机了？

课文5：❸ 我们的生活发生了哪些变化？请举例说明。

　　　　❹ 为什么人们把地球叫作"地球村"？

练习　**1** 复述　Retell the dialogues.
Exercises

课文1：孙月的语气：

　　　　上次女儿问我飞机是怎么起飞和降落的，……

课文2：高老师的语气：

　　　　现在认为人们尤其是大学生开始普遍使用电脑，……

课文3：王静的语气：

　　　　我昨天晚上做了一个特别奇怪的梦，……

2 选择合适的词语填空　Choose the proper words to fill in the blanks.

收　　座　　安全　　危险　　降落

❶ 北京有一_____山，叫香山，非常有名。每到秋天，满山都是红叶，风景特别漂亮。

❷ 有些人直接拿自己的生日做银行卡或信用卡的密码。其实，这样做很不_____。

❸ 无论对自己还是对其他人来说，喝完酒开车都是极其_____的。

❹ 说出去的话很难_____回。因此，生气时不要随便说话，这时候说的一般都是气话，会给别人留下不好的印象，甚至会伤害别人。

❺ 各位乘客，大家好，感谢大家乘坐此次航班，我们的飞机将于20分钟后_____在北京首都国际机场。

地点　　地址　　技术　　迷路　　咸

❻ A: 饺子很香，不过鸡蛋汤稍微有点儿_____。

　　B: 那我下次少放点儿盐。

❼ A: 对面那条街上新开了一家理发店，听说那儿的理发师＿＿＿＿＿还
不错。

B: 是吗？正好我也该理发了，那明天下班后我去试试。

❽ A: 我怎么觉得咱俩好像＿＿＿＿＿了？

B: 没有，我以前来过这儿，前面路口左转就到了。

❾ A: 能把照片发到我邮箱里吗？

B: 没问题，把你的邮箱＿＿＿＿＿告诉我，我整理好了就发给你。

❿ A: 今天下午我们还是两点在东门集合吗？

B: 时间不变，＿＿＿＿＿改在西门了。快去整理一下东西吧，我们马上
出发。

扩展 Expansion

同字词 Words with the Same Character

点：地点、特点、优点、缺点、重点

（1）A: 你联系马记者了吗？

B: 联系过了，我已经通知他会议地点改到首都饭店了。

（2）A: 你对我们国家的文化了解多少？

B: 我知道中国功夫很厉害，京剧也很有特点。

（3）人应该学会认识自己。不仅要看到自己的优点，也要了解自己的缺
点，并且要努力改掉缺点。只有这样，才会逐渐变得成熟起来。

（4）A: 材料这么厚，我估计看不完了。

B: 复习要注意方法，复习重点内容应该来得及。

● **做一做** Drills

选词填空 Fill in the blanks with the words given.

地点　　特点　　优点　　缺点　　重点

❶ 教育学生时，要根据学生的＿＿＿＿＿选择不同的方法。

❷ 现在有个通知，十一月七日上午八点有中国文化研讨会，＿＿＿＿＿在
图书馆三楼会议室，希望大家准时参加。

❸ 由于时间限制，这份材料我就不向大家详细介绍了，我只对其中
的＿＿＿＿＿简单说明一下。

④ A: 你对小李的印象怎么样？

　B: 他的＿＿＿＿＿是有礼貌，诚实，能吃苦，＿＿＿＿＿是太马虎、太粗心了，不适合我们的工作。

运用 Application

1 双人活动　Pair Work

互相了解对方关于电脑和互联网的使用情况，完成调查表。

Learn about your partner's use of his/her computer and the Internet and complete the questionnaire below.

	问	答
1	你常用电脑做什么？	
2	你平均每天上网的时间大概是多长？	
3	你上网的原因是什么？	
4	互联网对你的生活有哪些影响？	
5	你使用什么聊天工具？	
6	你会因为上网而减少和朋友正常交流的时间吗？	

2 小组活动　Group Work

请向小组成员介绍一下科技的发展对我们生活的影响。（最少用四个下面的结构）

Tell your group members about the influence of the development of science and technology on our lives. (Use at least four of the following structures.)

a. 电脑和互联网技术的发展

b. 方便大家的交流

c. 节约用纸

d. 保护环境

e. 试着对梦进行解释

f. 仍然没有一个科学的说法

g. 越来越离不开

h. 发生了巨大变化

文化 CULTURE

微博与微信 *Weibo* and WeChat

　　微博，是微博客（MicroBlog）的简称，是一个基于用户关系信息分享、传播以及获取的平台。用户可以通过电脑或手机访问，以140字左右的文字更新信息，并实现即时分享。最早也是最著名的微博是美国Twitter。2009年8月中国门户网站新浪成为门户网站中第一家提供微博服务的网站，微博正式进入中文上网主流人群视野。

　　微信（WeChat）是腾讯公司2011年推出的一款即时语音通讯软件，用户可以通过手机快速发送语音、视频、图片和文字。微信提供公众平台、朋友圈和消息推送等功能，用户可以通过"摇一摇""搜索号码""附近的人""扫二维码"方式添加好友和关注微信公众平台，同时微信可以把内容分享给好友，还可以把用户看到的精彩内容分享到微信朋友圈。

　　Weibo, or MicroBlog, is a platform to share, spread and obtain information based on user relationship. Users can visit the site via computers or cell phones and post a message of around 140 words/characters, which can be shared immediately. The earliest and most famous MicroBlog is Twitter of the US. In August 2009, Sina became the first web portal in China to provide *Weibo* service, which is when MicroBlog officially came into the sight of the majority of Chinese net surfers.

　　WeChat is an instant voice messaging app released by Tencent in 2011, via which users can send voice messages, videos, images and texts on their cell phones at a real fast speed. WeChat provides services such as public accounts, circles of friends and message promotion. Users can add new friends and follow public accounts by selecting "Shake", "Search by Number", "People Nearby" or "Scan QR Code". WeChat allows users to share moments with their friends and also share what they've read in their circles of friends.

19

Shēnghuó de wèidào
生活的味道
Taste of life

热身 1
Warm-up

给下面的词语选择对应的图片，并用这个词语根据图片说一个句子。
Match the pictures with the words and describe the pictures with sentences using the words.

fùyìn
❶ 复印_____

chúfáng
❷ 厨房_____

jìnzhǐ
❸ 禁止_____

dài yǎnjìng
❹ 戴 眼镜_____

lǐ fà
❺ 理发_____

dào qiàn
❻ 道 歉_____

2

根据表格的内容，把下面的信息填在第一行，并按照表格写出自己的信息。
Put the following words in the first row of the form and write your own information in the form.

chūshēng　xìngbié
1.出生　2.性别　3.护照　4.姓名　5.电话　6.年龄　7.地址

小夏	20岁	男	1994年7月11日	北京市海淀区学院路15号北京语言大学	010-82301111	G12345678

课文
Texts

1　马克申请下个学期继续在学校学习　💿 *19-1*

马　克：老师，您好！我希望下个学期在这里继续学习，请问还需要重新申请吗？

高老师：是的。给你表格，出生年月、性别、护照号码都要填，还有联系地址、联系电话。

马　克：真抱歉，我不小心把护照号码填错了，您能再给我一份新的申请表吗？

高老师：没关系，不用道歉，谁都有粗心填错的时候。申请表都被别人拿走了，我给你重新打印一份，你等一下。

（高老师打印，马克填表。）

马　克：这次我按照要求都填写完了，请问还需要做别的事情吗？

高老师：请把你的护照给我，我们要把护照复印一下。

生词		
1. 学期	xuéqī	
	n. term, semester	
2. 出生	chūshēng	
	v. to be born	
3. 性别	xìngbié	
	n. sex, gender	
4. 道歉	dào qiàn	
	v. to apologize	
5. 打印	dǎyìn	
	v. to print out	
6. 复印	fùyìn	
	v. to photocopy, to xerox	

2　王静做饺子时手受伤了　💿 *19-2*

李进：呀，你的手怎么流血了？等一下，我给你包起来。

王静：没关系，我想给你做点儿羊肉饺子，刚才用刀切肉的时候把手弄破了。

李进：你也太不小心了，不过好像不太严重，过几天就好了。衣服上也有一点儿血，你把衣服脱下来，我给你洗洗。

王静：看来今天吃不上羊肉饺子了。

李进：那我们就吃点儿别的。我常去的那家理发店附近有个餐厅，那里的包子很好吃，我一会儿去买一点儿。

王静：好吧，我衣服口袋里有十几块零钱，买包子应该够。

生词		
7. 饺子	jiǎozi	
	n. *jiaozi*, dumpling	
8. 刀	dāo	
	n. knife	
9. 破	pò	
	adj. broken, torn	
10. 脱	tuō	
	v. to take off	
11. 理发	lǐfà	
	v. to get a haircut	
12. 包子	bāozi	
	n. steamed stuffed bun	
13. 零钱	língqián	
	n. small change	

3 安娜帮助马克练习舞蹈动作　　🖭 19-3

马克：我早上跟你打招呼，你没看见。想不
到又在这儿碰见你了。

安娜：真是对不起，我不是故意的，今天早
上我忘戴眼镜了，看不清楚。

马克：刚才我在旁边看到你跳中国舞了，没
看出来你跳得这么好！难道你以前在
你们国家就学过中国舞蹈吗？

安娜：我小时候妈妈教我跳过两年的舞，所
以稍微有点儿基础。再说，舞蹈不仅
是一门艺术，也是一种"语言"，这
种语言与国籍无关，无论哪个国家的
人都能看懂。

马克：太好了！我刚学习跳这种舞没多久，
你帮我看看，我的这个动作对不对。

安娜：你这个动作做得还是不太标准，我给
你跳一遍。你仔细看着，应该像我这
样：先抬胳膊，然后抬腿，最后头再
向右转一下。

生词

14. 打招呼　dǎ zhāohu
　　to greet, to say hello

15. 戴　　　dài
　　v. to wear (accessories)

16. 眼镜　　yǎnjìng
　　n. glasses, spectacles

*17. 舞蹈　　wǔdǎo
　　n. dance

18. 国籍　　guójí
　　n. nationality,
　　citizenship

19. 抬　　　tái
　　v. to lift, to raise

20. 胳膊　　gēbo
　　n. arm

21. 转　　　zhuǎn
　　v. to turn, to shift

拼音课文 Texts in *Pinyin*

1. Mǎkè shēnqǐng xià ge xuéqī jìxù zài xuéxiào xuéxí

　　Mǎkè: Lǎoshī, nín hǎo! Wǒ xīwàng xià ge xuéqī zài zhèli jìxù xuéxí, qǐngwèn hái xūyào chóngxīn shēnqǐng ma?

　　Gāo lǎoshī: Shì de. Gěi nǐ biǎogé, chūshēng nián yuè、xìngbié、hùzhào hàomǎ dōu yào tián, hái yǒu liánxì dìzhǐ、liánxì diànhuà.

　　Mǎkè: Zhēn bàoqiàn, wǒ bù xiǎoxīn bǎ hùzhào hàomǎ tiáncuò le, nín néng zài gěi wǒ yí fèn xīn de shēnqǐngbiǎo ma?

　　Gāo lǎoshī: Méi guānxi, búyòng dào qiàn, shéi dōu yǒu cūxīn tiáncuò de shíhou. Shēnqǐngbiǎo dōu bèi biérén názǒu le, wǒ gěi nǐ chóngxīn dǎyìn yí fèn, nǐ děng yíxià.

　　(Gāo lǎoshī dǎyìn, Mǎkè tián biǎo.)

　　Mǎkè: Zhè cì wǒ ànzhào yāoqiú dōu tiánxiě wán le, qǐngwèn hái xūyào zuò biéde shìqing ma?

　　Gāo lǎoshī: Qǐng bǎ nǐ de hùzhào gěi wǒ, wǒmen yào bǎ hùzhào fùyìn yíxià.

2. Wáng Jìng zuò jiǎozi shí shǒu shòu shāng le

　　Lǐ Jìn: Ya, nǐ de shǒu zěnme liú xiě le? Děng yíxià, wǒ gěi nǐ bāo qilai.

　　Wáng Jìng: Méi guānxi, wǒ xiǎng gěi nǐ zuò diǎnr yángròu jiǎozi, gāngcái yòng dāo qiē ròu de shíhou bǎ shǒu nòngpò le.

　　Lǐ Jìn: Nǐ yě tài bù xiǎoxīn le, búguò hǎoxiàng bú tài yánzhòng, guò jǐ tiān jiù hǎo le.

注释 1 疑问代词活用表示任指

Notes Interrogative Pronouns Used to Refer to Everybody or Everything

疑问代词"什么、谁、哪、哪儿、哪里、怎么"等可以表示任指，比如"什么"指任何一件东西，"谁"指任何一个人，句中常跟"都、也"连用。例如：

The interrogative pronouns "什么" (what), "谁" (who), "哪" (which), "哪儿" (where) and "怎么" (how), etc. can be used to refer to anybody or anything. For instance, "什么" refers to anything, and "谁" refers to anybody. They are often used together with "都/也" in a sentence. For example:

（1）没关系，不用道歉，谁都有粗心填错的时候。

（2）昨天我做了一个奇怪的梦，但是早上起来怎么想都想不起来。

（3）"世界上没有免费的午餐"这句话是说，什么东西都要通过努力才能得到。

● 练一练 Practice

完成句子 Complete the sentences.

（1）每个人都有自己的生活，＿＿＿＿＿＿＿＿＿＿＿？（谁）

（2）＿＿＿＿＿＿＿＿＿＿＿，所以他总是不开心。（什么）

（3）我已经练习了好几遍了，＿＿＿＿＿＿＿＿＿？（怎么）

Yīfu shang yě yǒu yìdiǎnr xiě, nǐ bǎ yīfu tuō xialai, wǒ gěi nǐ xǐxi.

Wáng Jìng: Kànlái jīntiān chī bu shàng yángròu jiǎozi le.

Lǐ Jìn: Nà wǒmen jiù chī diǎnr biéde. Wǒ cháng qù de nà jiā lǐfàdiàn fùjìn yǒu ge cāntīng, nàli de bāozi hěn hǎochī, wǒ yíhuìr qù mǎi yìdiǎnr.

Wáng Jìng: Hǎo ba, wǒ yīfu kǒudai li yǒu shíjǐ kuài língqián, mǎi bāozi yīnggāi gòu.

3. Ānnà bāngzhù Mǎkè liànxí wǔdǎo dòngzuò

Mǎkè: Wǒ zǎoshang gēn nǐ dǎ zhāohu, nǐ méi kànjiàn. Xiǎng bu dào yòu zài zhèr pèngjiàn nǐ le.

Ānnà: Zhēn shì duìbuqǐ, wǒ bú shì gùyì de, jīntiān zǎoshang wǒ wàng dài yǎnjìng le, kàn bu qīngchu.

Mǎkè: Gāngcái wǒ zài pángbiān kàndào nǐ tiào Zhōngguó wǔ le, méi kàn chūlái nǐ tiào de zhème hǎo! Nándào nǐ yǐqián zài nǐmen guójiā jiù xuéguo Zhōngguó wǔdǎo ma?

Ānnà: Wǒ xiǎoshíhou māma jiāo wǒ tiàoguo liǎng nián de wǔ, suǒyǐ shāowēi yǒu diǎnr jīchǔ. Zàishuō, wǔdǎo bùjǐn shì yì mén yìshù, yě shì yì zhǒng "yǔyán", zhè zhǒng yǔyán yǔ guójí wúguān, wúlùn nǎ ge guójiā de rén dōu néng kàndǒng.

Mǎkè: Tài hǎo le! Wǒ gāng xuéxí tiào zhè zhǒng wǔ méi duō jiǔ, nǐ bāng wǒ kànkan, wǒ de zhège dòngzuò duì bu duì.

Ānnà: Nǐ zhège dòngzuò zuò de háishi bú tài biāozhǔn, wǒ gěi nǐ tiào yí biàn. Nǐ zǐxì kànzhe, yīnggāi xiàng wǒ zhèyàng: xiān tái gēbo, ránhòu tái tuǐ, zuìhòu tóu zài xiàng yòu zhuǎn yíxià.

2　上

"上"，动词，用在动词后面做趋向补语，引申表示动作行为达到了目的；或者做可能补语，表示动作行为能否达到目的。例如：

The verb "上" is used after another verb as a complement of direction, indicating the purpose of an action or a behavior has been achieved, or as a complement of possibility, showing whether or not the purpose of an action or a behavior can be achieved. For example:

（1）看来今天吃不上羊肉饺子了。

（2）现在堵车这么厉害，看来今天坐不上8点那趟去上海的飞机了。

（3）一听到哥哥考上了经济专业的博士，我们全家都特别高兴。

● 练一练 Practice

完成句子 Complete the sentences.

（1）要是你想去云南旅游应该早点儿买火车票，_____。（上）

（2）早就听说这个饭馆儿的菜特别好吃，_____。（上）

（3）周末我们本来想去看电影，_____。（上）

3　出来

"出来"，动词，可用在动词后面做趋向补语，表示某个动作行为让事物的状态从无变成有、从隐蔽变成显露。例如：

The verb "出来" can be used after another verb as a complement of direction, indicating a certain action or behavior makes the state of something change from being nonexistent to being existent or from being hidden to being obvious. For example:

（1）有的人心里有什么看法或意见，嘴上就会直接说出来。

（2）你要的那篇文章我已经翻译出来了，你方便的时候就来取吧。

（3）刚才我在旁边看到你跳中国舞了，没看出来你跳得这么好！

● 练一练 Practice

完成句子 Complete the sentences.

（1）经理让小李写一篇文章，_____。（出来）

（2）今天老师问了个问题，_____。（出来）

（3）有的人虽然看到了别人的缺点，_____。（出来）

比一比 Compare   出来—起来

不同点：Differences:

1. 两者都用在动词后面做趋向补语或可能补语，但表示的意义不同。"出来"表示动作方向是从里到外；"起来"表示动作方向是从下到上。

   Though both of them can be used after verbs as complements of direction or possibility, they mean different things. "出来" indicates a motion from inside to outside, while "起来" indicates an upward movement.

   我的日记本掉到沙发后面了，拿不出来了，你来帮我抬一下沙发吧。

   早上六点，他还睡着，电话突然响了，他连忙坐起来接电话。

2. "出来"可引申表示某个动作行为让事物的状态从无变成有、从隐蔽变成显露；"起来"可引申表示动作开始并继续。

   In respect of their extended use, "出来" can mean a certain action or behavior makes something come into existence or come into view, while "起来" indicates the beginning and continuation of an action.

   你能算出来这两个地方之间的距离是多少公里吗?

   尽管现在才4月，天气已经开始慢慢热起来。

3. "想出来"表示大脑里原来没有的信息，经过思考产生了；"想起来"表示大脑原有的信息忘记了，经过回忆又恢复了记忆。

   The phrase "想出来" means some new information has been produced after thinking, while "想起来" means some information which was forgotten has now been retrieved.

   有几个选择题，实在想不出来该选哪个，只好随便选一个。

   我想起来了，那个唱歌的男孩子是高老师的孙子。

● 做一做 Drills

   选词填空 Tick or cross

	出来	起来
（1）久坐办公室的人有时间一定要站_____活动活动。	×	✓
（2）这个主意好像是三班的一个学生想_____的。	✓	×
（3）声音听着挺熟悉的，不过我一下子想不_____了。		

	出来	起来
（4）遇到烦恼事时，你应该想一些办法让自己从不高兴的心情中走_____。		
（5）你回去后把今天大家在会上提的意见都整理_____。		

■■■ 根据课文内容回答问题　Answer the questions based on the texts.

课文1：❶ 填写申请表格时，应该提供哪些方面的信息？

❷ 马克把申请表填错后，高老师批评他了吗？为什么？

课文2：❸ 王静的手是怎么弄破的？严重吗？

❹ 今天他们能吃到羊肉饺子吗？如果吃不到，他们会怎么办？

课文3：❺ 马克认为安娜中国舞跳得好的原因可能是什么？

❻ 马克的那个动作做得正确吗？那个动作应该怎么做？

课文 **4** 💿 19-4
Texts

马克去年租的房子离马路很近，对面有大大小小的商店，周围环境非常吵。所以，房子还没到期，马克就开始着急换房子了。有一天，他在小区门口看到一个租房子的广告。广告上说房子交通方便，周围很安静，厨房很大。总的来说，这套房子他很满意，于是他就记下了房东的手机号码。可回家后打电话，电话总是占线。第二天，他路过小区门口时，又仔细看了一下广告，原来在记号码的时候写错了一个数字。

生词

22. 租　zū
v. to rent, to lease

*23. 吵　chǎo
adj. noisy

24. 厨房　chúfáng
n. kitchen

25. 房东　fángdōng
n. landlord/landlady

26. 占线　zhànxiàn
v. (of a telephone line) to be busy, to be engaged

5 🔘 *19-5*

很多外国人认为所有中国人都会功夫和乒乓球，其实只是喜爱这两种运动的中国人比较多。中国人特别喜欢打乒乓球，在中国你会发现到处都有乒乓球桌。像乒乓球、羽毛球、跑步等运动对条件要求不高，所以它们都成为人们运动不错的选择。人们常说"生命在于运动"，所以很多人一到周末就会到体育馆打几场球。"乒乓球"这个名字也很有意思，"乒"和"乓"就是打球时发出的声音。在看乒乓球比赛时，尤其是在运动员发球的时候，观众要安静，禁止大声讲话或者离开座位随便走动。

生词

27. 功夫　　gōngfu
　　　　　　n. kung fu

28. 乒乓球　pīngpāngqiú
　　　　　　n. table tennis, ping-pong

29. 羽毛球　yǔmáoqiú
　　　　　　n. badminton

30. 场　　　chǎng
　　　　　　m. *used for sports or recreational events, etc.*

31. 禁止　　jìnzhǐ
　　　　　　v. to prohibit, to forbid

32. 座位　　zuòwèi
　　　　　　n. seat

拼音课文 Texts in *Pinyin*

4

　　Mǎkè qùnián zū de fángzi lí mǎlù hěn jìn, duìmiàn yǒu dàdà-xiǎoxiǎo de shāngdiàn, zhōuwéi huánjìng fēicháng chǎo. Suǒyǐ, fángzi hái méi dàoqī, Mǎkè jiù kāishǐ zháojí huàn fángzi le. Yǒu yì tiān, tā zài xiǎoqū ménkǒu kàndào yí ge zū fángzi de guǎnggào. Guǎnggào shang shuō fángzi jiāotōng fāngbiàn, zhōuwéi hěn ānjìng, chúfáng hěn dà. Zǒng de lái shuō, zhè tào fángzi tā hěn mǎnyì, yúshì tā jiù jìxiàle fángdōng de shǒujī hàomǎ. Kě huí jiā hòu dǎ diànhuà, diànhuà zǒngshì zhànxiàn. Dì-èr tiān, tā lùguò xiǎoqū ménkǒu shí, yòu zǐxì kànle yíxià guǎnggào, yuánlái zài jì hǎomǎ de shíhou xiěcuòle yí ge shùzì.

5

　　Hěn duō wàiguó rén rènwéi suǒyǒu Zhōngguórén dōu huì gōngfu hé pīngpāngqiú, qíshí zhǐshì xǐ'ài zhè liǎng zhǒng yùndòng de Zhōngguó rén bǐjiào duō. Zhōngguó rén tèbié xǐhuan dǎ pīngpāngqiú, zài Zhōngguó nǐ huì fāxiàn dàochù dōu yǒu pīngpāngqiú zhuō. Xiàng pīngpāngqiú、yǔmáoqiú、pǎo bù děng yùndòng duì tiáojiàn yāoqiú bù gāo, suǒyǐ tāmen dōu chéngwéi rénmen yùndòng búcuò de xuǎnzé. Rénmen cháng shuō "shēngmìng zàiyú yùndòng", suǒyǐ hěn duō rén yí dào zhōumò jiù huì dào tǐyùguǎn dǎ jǐ chǎng qiú. "Pīngpāngqiú" zhège míngzi yě hěn yǒu yìsi, "pīng" hé "pāng" jiù shì dǎ qiú shí fāchū de shēngyīn. Zài kàn pīngpāngqiú bǐsài shí, yóuqí shì zài yùndòngyuán fā qiú de shíhou, guānzhòng yào ānjìng, jìnzhǐ dàshēng jiǎng huà huòzhě líkāi zuòwèi suíbiàn zǒudòng.

注释 Notes

4 总的来说

"总的来说"常用做插入语，表示从总体上或从主要情况来评论。例如：

"总的来说" is usually used as a parenthesis, meaning "on the whole, generally speaking". For example:

（1）广告上说房子交通方便，周围很安静，厨房很大。总的来说，这套房子他很满意，于是他就记下了房东的手机号码。

（2）这个公司的工资虽然不算很高，但是奖金很多，所以总的来说收入还不错。

（3）很多人问去丽江旅游怎么样，总的来说，丽江景色不错，那里的人也很热情，去那里旅游是个不错的选择。

● 练一练 Practice

完成句子 Complete the sentences.

（1）去国外留学有好处也有坏处，＿＿＿＿＿＿＿＿＿＿。（总的来说）

（2）每个人虽然都会遇到一些困难，＿＿＿＿＿＿＿＿＿＿。（总的来说）

（3）这件衣服价格有点儿高，＿＿＿＿＿＿＿＿＿＿。（总的来说）

5 在于

"在于"，动词，常用在书面语中，用来指出事物的本质，有"正是、就是"的意思。"在于"的主语常是名词性词语，后面必须带名词、动词或小句做宾语。例如：

The verb "在于" is often used in written Chinese to point out the essence of something, meaning "to be exactly, to lie in". "在于" usually has a noun phrase as its subject, and it must take a noun, verb or clause as its object. For example:

（1）人们常说"生命在于运动"，所以很多人一到周末就会到体育馆打几场球。

（2）选择职业的关键在于兴趣，当你喜欢做一件事情的时候，你会带着热情去工作，就不会感到累，更不会觉得有太大的压力。

（3）没有人能一生都顺顺利利、没有失败。区别在于有的人能接受失败，找到失败的原因并继续努力；而有的人却在失败面前停下了脚步。

● 练一练 Practice

完成句子 Complete the sentences.

（1）每个人对幸福的理解不同，＿＿＿＿＿＿＿＿＿＿。（在于）

（2）取得成功的人都经历过许多失败，＿＿＿＿＿＿＿＿＿＿。（在于）

（3）他做事情常常能达到事半功倍的效果，＿＿＿＿＿＿＿＿＿＿。（在于）

■■■ 根据课文内容回答问题　Answer the questions based on the texts.

课文4：❶ 马克现在租的房子和广告上的房子各有哪些特点？

❷ 马克为什么一直没联系上房东？

课文5：❸ 很多外国人对中国人有什么印象？这种印象对吗？为什么？

❹ "乒乓球"这个名字是怎么来的？看乒乓球比赛时要注意哪些问题？

练习
Exercises

1 复述　Retell the dialogues.

课文1：高老师的语气：

如果你希望下个学期继续在这里学习，……

课文2：王静的语气：

周末我本来想给李进做点儿羊肉饺子，……

课文3：安娜的语气：

今天真不好意思，早上我忘戴眼镜了，……

2 选择合适的词语填空　Choose the proper words to fill in the blanks.

打招呼　场　性别　吵　禁止

❶ 请在表格上填好姓名、＿＿＿＿＿、年龄、职业等，然后再给我们传真过来。

❷ 我觉得咱们还是换个地方住吧。这个小区太＿＿＿＿＿＿了，我怕影响孩子学习和休息。

❸ 抽烟不但污染空气，影响身体健康，而且在加油站这样的地方抽烟非常危险，因此，很多地方都＿＿＿＿＿＿抽烟。

❹ 要想更快适应新环境，其实有很多办法。比如，多和周围的人＿＿＿＿＿＿，在别人遇到麻烦的时候去帮一把，等等。

❺ 这个京剧我一直想看，下星期六是他们在这儿的最后一＿＿＿＿＿＿演出。中午你记得提醒我去买票，否则我就没有机会看了。

占线　　道歉　　座位　　打印　　零钱

⑥ A: 先生，一共二百三十九块七。您付现金还是刷卡？

B: 现金。我带的＿＿＿＿应该够了。

⑦ A: 请问，您一共几位？

B: 我们一共四个人，麻烦你给我们找个安静点儿的＿＿＿＿。

⑧ A: 明天几点到？八点来得及来不及？

B: 提前点儿吧，咱们还得负责＿＿＿＿会议材料呢。

⑨ A: 我是专门来向您＿＿＿＿的，我真的觉得很对不起您。

B: 没关系，过去的事情就让它过去吧，你也别太放在心上。

⑩ A: 李经理的电话一直＿＿＿＿，去办公室找他，敲了半天门，也没人开。

B: 他刚出去开会了，可能下午才能回来。

扩展 Expansion

同字词 Words with the Same Character

发：沙发、发生、发展、理发

（1）你回到家就把衣服、书包什么的扔在沙发上，房间太乱了，你抽时间收拾一下吧。

（2）随着年龄的增长，人们对很多事情的看法是会发生变化的，有可能和以前的看法完全不同。

（3）我本以为任务能顺利完成，没想到事情的发展情况跟我想的正好相反。

（4）对面那条街上新开了一家理发店，听说那个店的理发师技术不错。

● 做一做 Drills

选词填空　Fill in the blanks with the words given.

发展　　理发　　沙发　　发生

❶ 注意速度，我们又不赶时间，太快了容易＿＿＿＿危险。

❷ 商场年底有活动，正在打折，这个黑色的＿＿＿＿比平时便宜了一千块。

❸ 帮助别人可以积累人际关系，为自己的职业＿＿＿＿＿打下基础。

❹ 出了南门向左走大约五百米，就能看到一个黄色的二层小楼，＿＿＿＿＿
店就在一层。

运用
Application

1 双人活动　Pair Work

互相了解对方对租房或买房的态度，完成调查表。

Learn about each other's attitudes towards renting or buying a house or an apartment and complete the questionnaire below.

	问	答
1	你现在租房子住吗？或者租过房子吗？ （如果"没有"，直接到第3题）	
2	你认为你现在租的或者以前租过的房子条件怎么样？你会换房子吗？为什么？	
3	在租房子的时候，房子的哪些条件会吸引你？对你来说，这些条件哪个最重要？为什么？	
4	你可能会通过哪种方式去找合适的房子租？	
5	如果刚赚了一大笔钱，你会用来买房吗？为什么？	

2 小组活动　Group Work

功夫和乒乓球运动在中国很普遍。向小组成员介绍一下在你们国家，哪种运动最普遍。（最少用四个下面的结构）

Kung fu and ping-pong are widely practiced in China. Which sport is the most widely practiced in your country? Tell your group members about it. (Use at least four of the following structures.)

a. 生命在于运动　　　　　　e. 总的来说

b. 动作不太标准　　　　　　f. 与国籍无关

c. 容易把手弄破　　　　　　g. 对条件要求不高

d. 稍微有点儿基础　　　　　h. 禁止大声讲话

文化 CULTURE

舌尖上的中国——饺子 A Bite of China-*Jiaozi*

　　对大多数中国家庭尤其是北方的中国家庭来说，包饺子、吃饺子是庆祝春节的一个重要活动。饺子一般要在大年三十晚上子时（23点到凌晨1点）以前包好，等到了子时再吃，因为子时正是中国农历正月初一的开始，所以"饺子"有"交子"的意思。"子"指子时，"交"和"饺"谐音，代表喜庆、团圆。另外，饺子形状像元宝，包饺子意味着包住好运气。所以，包饺子和吃饺子是人们在新年时祈求愿望的一种方式。饺子皮用面粉制作，馅儿有肉馅儿、肉菜馅儿、素馅儿等，可煮可蒸，美味营养。在中国水饺传入西方之前，西方人就已经知道意大利饺子了。由于中国的饺子很像意大利饺子，所以他们一般把"饺子"翻译成英语的"dumpling"。实际上，"dumpling"并不是特指中国饺子，它是指所有皮包馅这类食物。因此，随着西方对中国文化了解的增加，越来越多的西方人开始习惯用 jiaozi 来称呼这种食品了。

For most Chinese families, northern ones in particular, making and eating *jiaozi* (Chinese dumplings) is an essential activity to celebrate the Spring Festival (Chinese New Year). *Jiaozi* is usually made ready before the period of *zi* (23:00–1:00) on the Spring Festival Eve and won't be eaten until the period of *zi*, which is the beginning of the first day of the first month in the lunar calendar. As *jiao* sounds like the character for "intersect" and *zi* refers to the first two hours of the New Year, *jiaozi* indicates the meeting of years and symbolizes happiness and reunion. Moreover, *jiaozi* is shaped like an ingot, and making *jiaozi* implicates wrapping good luck, so making and eating *jiaozi* is a way of making wishes when celebrating the New Year. The wrapper of *jiaozi* is a piece of dough made of flour and the stuffing can be made of a variety of ingredients using different kinds of meat, vegetables or both. Chinese *jiaozi* is cooked by boiling or steaming, and it is not only delicious, but also nutritious. Before the introduction of *jiaozi* to the West, Western people had already been familiar with Italian dumplings. Because of its similarity to Italian dumplings, *jiaozi* was generally translated as "dumpling" in English. As a matter of fact, "dumpling" is a broader concept; it refers to all the stuffed foods of this kind. With the West knowing more about Chinese culture, more Western people are getting used to call this Chinese food *jiaozi*.

20

Lù shang de fēngjǐng

路上的风景
The view along the way

热身 **1**
Warm-up

给下面的词语选择对应的图片，并用这个词语根据图片说一个句子。

Match the pictures with the words and describe the pictures with sentences using the words.

shōushi
❶ 收拾＿＿＿＿＿＿

xiǎochī
❷ 小吃＿＿＿＿＿＿

kǎoyā
❸ 烤鸭＿＿＿＿＿＿

jiāyóuzhàn
❹ 加油站＿＿＿＿＿＿

gāosù gōnglù
❺ 高速 公路＿＿＿＿

gān bēi
❻ 干杯＿＿＿＿＿＿

2 你认为理想的旅行方式是什么样的？为什么？

Which way(s) of travelling do you think is/are the idealest? Why?

跟谁一起	旅行方式	出发时间	旅行内容	多长时间
普通朋友 ☐	开车 ☐	一放假就出发 ☐	自然风景 ☐	三四天 ☐
你爱的人 ☐	坐飞机 ☐	心情不好时 ☐	历史文化 ☐	一个星期左右 ☐
家人 ☐	坐火车 ☐	有了足够的钱 ☐	城市生活 ☐	大概一个月 ☐
自己 ☐	走路 ☐	父母同意时 ☐	美食小吃 ☐	想去多久就多久 ☐

课文 **1** 小张去北京，朋友送小张去机场　🔊 20-1
Texts

朋友：该加油了，去机场的路上有加油站吗？

小张：我记得过了长江大桥往右一拐就有一个，大概有四五公里远。

朋友：好，那我就放心了，别开着开着没油了。你去北京的航班是几点的？时间来得及吗？

小张：航班本来是十点的，后来机场网站上通知推迟了一个小时，所以九点半以前到就应该没问题。

朋友：刚才我还有点儿担心来不及呢。一会儿加完油，往西走五百米就能上高速公路。走高速公路大约半个小时就到了。

小张：一会儿我自己进去换登机牌，你就不用送我了，等我到了首都机场再给你发短信。

生词

1. 加油站　jiāyóuzhàn
   n. gas station
2. 航班　hángbān
   n. scheduled flight
3. 推迟　tuīchí
   v. to postpone, to delay
4. 高速公路　gāosù gōnglù
   expressway
5. 登机牌　dēngjīpái
   n. boarding pass
6. 首都　shǒudū
   n. capital (of a country)

专有名词

1. 长江　Chángjiāng
   Yangtze River, the longest river in China
2. 长江大桥　Chángjiāng Dàqiáo
   Yangtze River Bridge (in Nanjing)
3. 首都机场　Shǒudū Jīchǎng
   Beijing Capital International Airport

拼音课文　Texts in *Pinyin*

1. Xiǎo Zhāng qù Běijīng, péngyou sòng Xiǎo Zhāng qù jīchǎng

Péngyou: Gāi jiā yóu le, qù jīchǎng de lùshang yǒu jiāyóuzhàn ma?

Xiǎo Zhāng: Wǒ jìde guòle Chángjiāng Dàqiáo wǎng yòu yì guǎi jiù yǒu yí ge, dàgài yǒu sì-wǔ gōnglǐ yuǎn.

Péngyou: Hǎo, nà wǒ jiù fàng xīn le, bié kāizhe kāizhe méi yóu le. Nǐ qù Běijīng de hángbān shì jǐ diǎn de? Shíjiān láidejí ma?

Xiǎo Zhāng: Hángbān běnlái shì shí diǎn de, hòulái jīchǎng wǎngzhàn shang tōngzhī tuīchíle yí ge xiǎoshí, suǒyǐ jiǔ diǎn bàn dào jiù yīnggāi méi wèntí.

Péngyou: Gāngcái wǒ hái yǒudiǎnr dānxīn láibují ne. Yíhuìr jiāwán yóu, wǎng xī zǒu wǔbǎi mǐ jiù néng shàng gāosù gōnglù. Zǒu gāosù gōnglù dàyuē bàn ge xiǎoshí jiù dào le.

Xiǎo Zhāng: Yíhuìr wǒ zìjǐ jìnqu huàn dēngjīpái, nǐ jiù búyòng sòng wǒ le, děng wǒ dàole Shǒudū Jīchǎng zài gěi nǐ fā duǎnxìn.

2 孙月和丈夫计划放寒假带女儿去旅行 20-2

孙月：女儿下个星期就要放寒假了，到时候咱们带她去旅游，放松放松，怎么样？

丈夫：平时女儿那么多课，总是说想去旅行，但是没时间，怪可怜的。这次放假咱们带她去哪儿玩儿比较好呢？

孙月：去年我同事带她儿子去广西玩儿了一趟，听说很不错，我们就去广西吧。

丈夫：好啊，那里的气候和北方很不同，即使是冬天，也非常暖和，还能吃到许多新鲜的水果。等女儿一回来我就告诉她这个好消息。

孙月：先别着急说。中午我们不是要去对面的饭店吃烤鸭，祝贺她考试成绩都合格吗？那时候再告诉她，不是更好？

丈夫：好主意，到时她知道了肯定特别开心。

生词

7. 旅行　lǚxíng
   v. to travel, to tour

* 8. 怪　guài
   adv. rather, quite

9. 可怜　kělián
   adj. pitiable, poor

10. 对面　duìmiàn
    n. opposite, across

11. 烤鸭　kǎoyā
    n. roast duck

12. 祝贺　zhùhè
    v. to congratulate

13. 合格　hégé
    adj. qualified, up to standard

2. Sūn Yuè hé zhàngfu jìhuà fàng hánjià dài nǚ'ér qù lǚxíng

Sūn Yuè: Nǚ'ér xià ge xīngqī jiù yào fàng hánjià le, dào shíhòu zánmen dài tā qù lǚyóu, fàngsōng fàngsōng, zěnmeyàng?

Zhàngfu: Píngshí nǚ'ér nàme duō kè, zǒngshì shuō xiǎng qù lǚxíng, dànshì méi shíjiān, guài kělián de. Zhè cì fàng jià zánmen dài tā qù nǎr wánr bǐjiào hǎo ne?

Sūn Yuè: Qùnián wǒ tóngshì dài tā érzi qù Guǎngxī wánrle yí tàng, tīngshuō hěn búcuò, wǒmen jiù qù Guǎngxī ba.

Zhàngfu: Hǎo a, nàli de qìhòu hé běifāng hěn bù tóng, jíshǐ shì dōngtiān, yě fēicháng nuǎnhuo, hái néng chīdào xǔduō xīnxiān de shuǐguǒ. Děng nǚ'ér yì huílai wǒ jiù gàosu tā zhège hǎo xiāoxi.

Sūn Yuè: Xiān bié zháojí shuō. Zhōngwǔ wǒmen bú shì yào qù duìmiàn de fàndiàn chī kǎoyā, zhùhè tā kǎoshì chéngjì dōu hégé ma? Nà shíhou zài gàosu tā, bú shì gèng hǎo?

Zhàngfu: Hǎo zhǔyì, dào shí tā zhīdàole kěndìng tèbié kāixīn.

3 安娜向马克介绍去丽江旅行的经验　　🔊 20-3

马克：这么多照片，都是你这次去丽江旅行时照的？那里的自然风景可真美！

安娜：是啊，小城四季的风景都很美，而且环境保护得也很好，因此每年都吸引着成千上万的游客去那儿旅游。

马克：这张照片上和你干杯的那个人是少数民族吗？她打扮得真漂亮。

安娜：她是我们的导游，不是少数民族。一路上她给我们讲了很多有趣的笑话。有一次我把存包的钥匙丢了，最后还是她帮我找到的。这张照片就是找到钥匙后，我们一起照的。

马克：明年我有机会也去那儿看看，到时把你的导游介绍给我吧。究竟哪个季节去丽江旅游比较好呢？

安娜：那儿最美的季节是春天和秋天，不过那时候人比较多。稍微好一点儿的时间是每年12月到第二年3月。这段时间去丽江的话，无论交通还是吃、住都很便宜。

生词

14. 干杯　gān bēi
v. to drink a toast

15. 民族　mínzú
n. nationality, ethnic group

16. 打扮　dǎban
v. to dress up, to deck out

17. 笑话　xiàohua
n. joke

18. 存　cún
v. to store, to keep

19. 钥匙　yàoshi
n. key

20. 究竟　jiūjìng
adv. (used in questions for emphasis) exactly

3. Ānnà xiàng Mǎkè jièshào qù Lìjiāng lǚxíng de jīngyàn

Mǎkè: Zhème duō zhàopiàn, dōu shì nǐ zhè cì qù Lìjiāng lǚxíng shí zhào de? Nàli de zìrán fēngjǐng kě zhēn měi!

Ānnà: Shì a, xiǎo chéng sìjì de fēngjǐng dōu hěn měi, érqiě huánjìng bǎohù de yě hěn hǎo, yīncǐ měi nián dōu xīyǐnzhe chéngqiān-shàngwàn de yóukè qù nàr lǚyóu.

Mǎkè: Zhè zhāng zhàopiàn shang hé nǐ gān bēi de nàge rén shì shǎoshù mínzú ma? Tā dǎban de zhēn piàoliang.

Ānnà: Tā shì wǒmen de dǎoyóu, bú shì shǎoshù mínzú. Yí lù shang tā gěi wǒmen jiǎngle hěn duō yǒuqù de xiàohua. Yǒu yí cì wǒ bǎ cún bāo de yàoshi diū le, zuìhòu háishi tā bāng wǒ zhǎodào de. Zhè zhāng zhàopiàn jiù shì zhǎodào yàoshi hòu, wǒmen yìqǐ zhào de.

Mǎkè: Míngnián wǒ yǒu jīhuì yě qù nàr kànkan, dào shí bǎ nǐ de dǎoyóu jièshào gěi wǒ ba. Jiūjìng nǎge jìjié qù Lìjiāng lǚyóu bǐjiào hǎo ne?

Ānnà: Nàr zuì měi de jìjié shì chūntiān hé qiūtiān, búguò nà shíhou rén bǐjiào duō. Shāowēi hǎo yì diǎnr de shíjiān shì měinián shí'èryuè dào dì-èr nián sānyuè. Zhè duàn shíjiān qù Lìjiāng de huà, wúlùn jiāotōng háishi chī、zhù dōu hěn piányi.

注释
Notes

1 ⸻ V+着+V+着

"V+着+V+着"结构中使用同一个动词，这个动词常为单音节动词。这个结构后面常接另一个动词，表示一个动作正在进行时出现了另一个动作。例如：

The two verbs in the structure "V+着+V+着" are the same, usually a monosyllabic one. The structure is often followed by another verb, indicating another action occurs when the one mentioned is going on. For example:

（1）好，那我就放心了，别开着开着没油了。

（2）她讲着讲着自己就先笑了，而大家却不明白她到底为什么笑。

（3）晚上躺在草地上看星星的感觉非常棒，有时候躺着躺着就安静地睡着了。

● 练一练 Practice

完成句子 Complete the sentences.

（1）小时候的记忆总是那么美好，＿＿＿＿＿＿＿＿。（V+着+V+着）

（2）那天的羊肉饺子太好吃了，＿＿＿＿＿＿＿＿。（V+着+V+着）

（3）这篇小说写得太无聊了，＿＿＿＿＿＿＿＿。（V+着+V+着）

2 ⸻ 一……就……

"一……就……"结构可表示两件事情紧接着发生。两件事情的主语可以相同，也可不同。例如：

The structure "一……就……" (…as soon as…) can indicate two events happening one immediately after the other. The two events may or may not share the same subject. For example:

（1）100年前，塑料一出现就受到人们的普遍欢迎。

（2）等女儿一回来我就告诉她这个好消息。

"一……就……"结构还可表示"要是……就……"的意思，"一"后面表示条件，"就"后面表示在前一个条件下产生的情况。两种成分的主语可以相同，也可不同。例如：

"一……就……" can also mean "if..., then...", in which "一" is followed by a situation that indicates a condition, and "就" is followed by a situation that would occur under the condition. The two situations may or may not share the same subject. For example:

（3）儿子小时候一说话就脸红，回答老师问题的时候声音也很小，我当时很为他担心。

（4）父母必须让孩子从小就知道，不是所有的东西一哭就能得到。

（5）妈妈一进房间，他就把手机装了起来。

● 练一练 Practice

完成句子 Complete the sentences.

（1）明天我要去上海出差，＿＿＿＿＿＿＿＿＿。（一……就……）

（2）张阿姨还是不适应北方的气候，＿＿＿＿＿。（一……就……）

（3）马经理上午去开会了，＿＿＿＿＿＿＿。（一……就……）

3 究竟

"究竟"，副词，用在疑问句或者带疑问词的非疑问句里，表示追究，加强疑问语气，多用于书面语。主语如果是疑问代词，"究竟"只能放在主语前。例如：

The adverb "究竟" is used in an interrogative sentence or a sentence with an interrogative word to indicate inquiry and strengthen the interrogative mood. It is often used in written Chinese. If the subject of the sentence is an interrogative pronoun, "究竟" can only be put before it. For example:

（1）究竟哪个季节去丽江旅游比较好呢？

（2）随着科学技术的发展，很多问题已经得到解决。但有些问题我们仍然无法回答，例如，生命究竟从哪里来？

（3）学习时，不仅要知道答案是什么，还要弄清楚答案究竟是怎么得来的，只有这样，才能把问题真正弄懂。

● 练一练 Practice

完成句子 Complete the sentences.

（1）＿＿＿＿＿＿＿＿＿，不同的人可能有不同的理解。（究竟）

（2）我想试试网站上说的这个方法，＿＿＿＿＿＿＿。（究竟）

（3）最近每天来店里的顾客不超过20个，＿＿＿＿＿。（究竟）

┌─────────────┐
│ 比一比 Compare │　　究竟—到底
└─────────────┘

相同点：两者都是副词，用在疑问句或者带疑问词的非疑问句里，表示追究，加强疑问语气。主语如果是疑问代词，"究竟、到底"只能放在主语前。

Similarity: Both can be used as adverbs in interrogative sentences or sentences with an interrogative word to indicate inquiry and strengthen the interrogative mood. Both can only be put before the subject if the subject is an interrogative pronoun.

无论做什么事情，只有试过才知道究竟/到底能不能成功。

人的一生中，究竟什么是最重要的？

不同点："到底"可做动词，表示"一直到结束、到终点"的意思；"究竟"无此用法。

Differences: "到底" can be used as a verb, meaning "till the end", while "究竟" has no such usage.

你耐心点儿！这个电影得看到底，才能知道那件事情的原因。

我们已经做了这么多努力了，一定要把这个计划坚持到底，现在放弃太可惜了。

● 做一做 Drills

选词填空 Tick or cross

	究竟	到底
（1）这场比赛太精彩了，你猜____谁能先进球？	✓	✓
（2）她决心一定要将减肥进行____。	×	✓
（3）这个题我做了三遍，可每次算出来的答案都不一样，真奇怪，____是哪儿出问题了？		
（4）无论做什么事情都不会很容易就成功，只有坚持____，才有会有希望。		
（5）生气多是由误会引起的，因此当你觉得自己要生气的时候，最好先弄清楚____是怎么回事。		

■ 根据课文内容回答问题　Answer the questions based on the texts.

课文1：❶ 李进因为什么事情担心？他和王静是怎么解决的？

❷ 王静坐的航班时间发生了什么变化？她和李进大约多长时间能到达机场？

课文2：❸ 孙月和丈夫为什么想带女儿去旅行？他们准备去哪儿旅行？

❹ 他们想在什么时候告诉女儿去旅行这个消息？为什么？

课文3：❺ 安娜这次去丽江找的那个导游怎么样？

❻ 为什么丽江值得去旅游？什么时候去那里旅游最好？

课文 **4** 💿 20-4

生词

中国南北距离约5500公里，因此南北气候有很大区别。每年三四月份的时候，如果从北方坐火车到南方去旅游，一路上你会发现，不同的地方有不同的风景：窗外的树一棵一棵地变绿，北方也许还下着雪，南方却已经到处都是绿色了。南方菜很有特点，特别是汤，味道鲜美，很多北方人都喜欢喝。另外，南方和北方的语言也有很大不同。比如你跟上海人对话时，会发现上海话听起来就像外语一样。虽然上海人也会讲普通话，可是仔细听，还是有上海味儿。

21.	棵	kē
		m. *used for plants*
22.	汤	tāng
		n. soup
23.	对话	duìhuà
		v. to have a dialogue
24.	普通话	pǔtōnghuà
		n. Mandarin Chinese

5 💿 20-5

生词

一个人有时间一定要去旅行，旅行不仅能丰富一个人的经历，而且是很好的减压方法。但对我来说，最重要的是旅行能让我有机会尝到各地有名的小吃。放假的时候，我会收拾好行李，带上地图，买张火车票，向目的地出发。说起吃的东西，给我印象最深的是湖南菜。湖南菜的特点就是辣，与其他地方的辣不同，湖南菜的辣主要是咸辣、香辣和酸辣。虽然全国各地都有湖南饭馆儿，但最好还是直接去那里尝一尝。每次旅行结束后，我都会精神百倍地开始我的工作。

25.	小吃	xiǎochī
		n. small and cheap dishes
26.	收拾	shōushi
		v. to put in order, to pack
27.	出发	chūfā
		v. to depart, to set off
28.	辣	là
		adj. hot, spicy
29.	香	xiāng
		adj. fragrant, scented
30.	酸	suān
		adj. sour, tart

4

Zhōngguó nán běi jùlí yuē wǔqiān wǔbǎi gōnglǐ, yīncǐ nán běi qìhòu yǒu hěn dà qūbié. Měi nián sān-sì yuèfèn de shíhou, rúguǒ cóng běifāng zuò huǒchē dào nánfāng qù lǚyóu, yí lù shang nǐ huì fāxiàn, bù tóng de dìfang yǒu bù tóng de fēngjǐng: chuāngwài de shù yì kē yì kē de biàn lǜ, běifāng yěxǔ hái xiàzhe xuě, nánfāng què yǐjīng dàochù dōu shì lǜsè le. Nánfāng cài hěn yǒu tèdiǎn, tèbié shì tāng, wèidào xiānměi, hěn duō běifāng rén dōu xǐhuan hē. Lìngwài, nánfāng hé běifāng de yǔyán yě yǒu hěn dà bù tóng. Bǐrú nǐ gēn Shànghǎi rén duì huà shí, huì fāxiàn Shànghǎi huà tīng qilai jiù xiàng wàiyǔ yíyàng. Suīrán Shànghǎi rén yě huì jiǎng pǔtōnghuà, kěshi zǐxì tīng, háishi yǒu Shànghǎi wèir.

5

Yí ge rén yǒu shíjiān yídìng yào qù lǚxíng, lǚxíng bùjǐn néng fēngfù yí ge rén de jīnglì, érqiě shì hěn hǎo de jiǎnyā fāngfǎ. Dàn duì wǒ lái shuō, zuì zhòngyào de shì lǚxíng néng ràng wǒ yǒu jīhuì chángdào gè dì yǒumíng de xiǎochī. Fàng jià de shíhou, wǒ huì shōushi hǎo xíngli, dàishang dìtú, mǎi zhāng huǒchēpiào, xiàng mùdìdì chūfā. Shuōqǐ chī de dōngxi, gěi wǒ yìnxiàng zuì shēn de shì Húnán cài. Húnán cài de tèdiǎn jiù shì là, yǔ qítā dìfang de là bù tóng, Húnán cài de là zhǔyào shì xián là, xiāng là hé suān là. Suīrán quánguó gè dì dōu yǒu Húnán fànguǎnr, dàn zuìhǎo háishi zhíjiē qù nàli cháng yi cháng. Měi cì lǚxíng jiéshù hòu, wǒ dōu huì jīngshén bǎibèi de kāishǐ wǒ de gōngzuò.

注释 4 起来
Notes

"起来"，动词，可用在动词后面做趋向补语，可表示动作方向从下到上，也可引申表示动作开始并继续，还可引申表示说话人从某方面评价人或事物。例如：

The verb "起来" can be used after another verb as a complement of direction, indicating an upward movement, or extendedly, indicating the beginning and continuation of an action or the speaker's comment on a certain aspect of somebody or something. For example:

（1）你先把桌子上的东西拿起来，我擦完之后你再放下来。

（2）邻居小王最近一定遇到了很多开心的事，你听，他又唱起来了。

（3）比如你跟上海人对话时，会发现上海话听起来就像外语一样。

● 练一练 Practice

完成句子 Complete the sentences.

（1）我本来以为做生意很简单，_____。（起来）

（2）公园里每天都有很多老人唱京剧，_____。（起来）

（3）他的汉语语法虽然有点儿小错误，_____。（起来）

5 V+起

"V+起"结构表示动作关涉到某事物，动词一般是"说、谈、讲、问、提、聊、回忆"等少数及物动词。"V+起"后面一般都有名词。例如：

The structure "V + 起" introduces the thing that an action involves. The verb is usually one of the few transitive verbs "说" (to speak), "谈" (to talk), "讲" (to speak), "问" (to ask), "提" (to mention), "聊" (to chat), and "回忆" (to recall), etc. The structure is usually followed by a noun. For example:

（1）说起吃的东西，给我印象最深的是湖南菜。

（2）聊起那场网球比赛，他们俩就兴奋得停不下来了。

（3）要是有人问起那件事，你就告诉他你还没接到通知，也不清楚怎么回事。

● 练一练 Practice

完成句子 Complete the sentences.

（1）_____，大家总是有说不完的话。（V+起）

（2）看着这些可爱的孩子，_____。（V+起）

（3）尽管已经过去十多年了，_____。（V+起）

■■■ 根据课文内容回答问题　Answer the questions based on the texts.

课文4：❶ 要是你三四月份从北方坐火车到南方旅行，路上的风景会有哪些变化？为什么？

❷ 一个北方人跟上海人对话时，可能会遇到什么问题？

课文5：❸ 对"我"来说，旅行有哪些好处？

❹ 旅行中什么东西给"我"的印象最深？它有哪些特点？

练习
Exercises

1 复述　Retell the dialogues.

课文1：王静的语气：

你别担心，航班本来是十点，……

课文2：丈夫的语气：

你看咱们的女儿多辛苦啊，平时有那么多课，……

课文3：安娜的语气：

这是我这次去丽江旅行时的照片，……

2 选择合适的词语填空　Choose the proper words to fill in the blanks.

合格　　航班　　对话　　可怜　　旅行

❶ 乘客，您好！我们很抱歉地通知您，由于天气原因，您乘坐的CA1864
　　_____推迟起飞。

❷ 我走在回家的路上，突然发现商店门口有一只_____的小狗，我心
　里一软，就把它抱回了家。

❸ 欢迎大家来到美丽的海南，_____中有任何事您都可以找我商量，
　希望我的服务能让您满意。

❹ "活到老，学到老"。在现代社会中，我们必须坚持学习。努力获得
　新的知识，才能适应社会的发展速度，做一个_____的现代人。

❺ 上午来应聘的那个小伙子是学电子技术的，成绩很优秀，通过面试
　时和他的_____，感觉他的性格也不错，我觉得他挺适合这份工
　作的。

祝贺　　笑话　　打扮　　普通话　　推迟

❻ A: 你的_____水平考试考得怎么样？
　B: 我这次没考，因为我错过了报名时间，只能等下次了。

❼ A: 今晚我穿这条裙子怎么样？今年最流行的。
　B: 很漂亮，不过我觉得这种_____参加正式的舞会可能还是不太
　合适。

❽ A: 小高，听说你出国的时间_____了？
　B: 是的，我的签证还没有办好，大概得10月底才能走。

⑨ A: 这次活动非常成功，我们顺利完成了公司交给的任务。

B: 辛苦了，_____你们！来，干一杯！

⑩ A: 你这一肚子的_____，都是从哪儿听来的？

B: 有个网站上有很多，看到有趣的我就记下来。我把网址发给你，你也去看看吧。

扩展
Expansion

■ 同字词　Words with the Same Character

格：性格、价格、表格、合格、严格

（1）我的性格很像我父亲，我的理想就是做一个像父亲那样的医生。

（2）我想租一个窗户向南、阳光好的房间，附近最好有超市和医院。当然，价格也要合适。

（3）如果您想办信用卡的话，得先填一下这张表格。

（4）一个合格的公司管理者，一定要允许其他人有反对意见。

（5）严格地说，地球应该叫"水球"，这是因为从地图上看，大约71%的地方都是蓝色的海洋。

● 做一做　Drills

选词填空　Fill in the blanks with the words given.

严格　　表格　　合格　　性格　　价格

① 抱歉，这张_____您填得不对，请稍等一下，我再拿一张新的给您，请您重新填写一下。

② 只要他这次考试的成绩都_____，就可以进入高级班学习。

③ 这家酒店除了房间有点儿小以外，其他方面都还不错，房间里很干净，可以免费上网，_____也比较低，对学生来说非常合适。

④ 他平时就对自己要求很_____，尤其是赛前那个星期，他每天都会把全部动作练习好几遍，希望在比赛中做到最好。

⑤ 他们两个是在国外旅游的时候认识的，他们俩的_____都差不多，聊天儿也挺聊得来，所以很快就成了好朋友。

运用
Application **1** 双人活动　Pair Work

互相了解一下对方对中国南方和北方的认识，完成调查表。

Learn about each other's knowledge of the south and north of China respectively, and complete the questionnaire below.

	问	答
1	你都去过中国南方和北方的哪些城市？（如果"没有"，直接到第4题）	
2	在你的印象中，中国南方和北方的气候有什么不同？气候对人们的生活有哪些影响？	
3	南方人和北方人说的普通话一样吗？在你听不懂的时候，你们是怎么交流的？	
4	通过学习课文，我们已经了解了一些中国南方和北方在气候、生活、语言等方面的区别，你希望去哪里旅行或者生活？	
5	在你们国家有没有像中国南方、北方这样区别比较大的地方？有哪些不同？	

2 小组活动　Group Work

旅行不仅能增长知识、丰富经验，而且还是一种放松心情的好方式。有的旅行会给你留下美好的回忆，有的却让你后悔不应该去。向小组成员介绍一下哪次旅行是你最难忘的。（最少用四个下面的结构）

Travelling not only enriches our knowledge and experience, but is also a good way to relax. Some trips may give you a good memory, and some others make you regret you've had them. Which is your most memorable trip? Tell your group members about it. (Use at least four of the following structures.)

a. 机场网站上通知

b. 四季的风景都很美

c. 成千上万的游客

d. 有很大区别

e. 各地有名的小吃

f. 向目的地出发

g. 给我印象最深的是

h. 精神百倍

文化　CULTURE

中国的少数民族　Ethnic Minorities in China

　　中国是由56个民族共同组成的多民族国家，其中汉族人口占中国总人口的90%以上，是人数最多的民族。其他55个民族，比如蒙古族、藏族、回族等，人口都比较少，因此称为少数民族。每个民族都有自己独特的文化和历史，他们穿着自己独特的民族服装、戴着精美的民族饰品、跳着优美的民族舞蹈、吃着美味的民族食品、说着自己的民族语言、过着丰富多彩的民族节日。中国虽然有56个民族，但并不只是有56种语言。根据统计，目前使用的语言有80多种。其中使用最多的少数民族语言文字有4种：壮语、维吾尔语、蒙古语和藏语，这从人民币上就可以看出来。你可以猜一猜，在下面的人民币上，这四种文字分别是哪个少数民族使用的。

　　China is a multi-ethnic country with 56 ethnic groups, among which the Han Chinese, as the biggest ethnic group, accounts for above 90% of the total population. The other 55 ethnic groups, including the Mongolians, the Tibetans and the Huis, are called ethnic minorities because of their relatively small populations. Each ethnic group has its own distinctive culture and history. They wear their unique ethnic costumes and exquisite ethnic adornments, perform beautiful ethnic dances, eat savory ethnic foods, speak their own languages and celebrate various ethnic festivals. China has 56 ethnic groups, but the languages spoken there are more than 56. Statistics show that there are over 80 languages currently used in China. Among them the top 4 most frequently used languages and characters of the ethnic minorities are respectively the Zhuang language, the Uygur language, the Mongolian and the Tibetan language, which can be seen on Renminbi banknotes. Can you guess which ethnic minorities are the four languages on the following banknote used by respectively? Identify them one by one.

词语总表 Vocabulary

词性对照表 Abbreviations of Parts of Speech

词性 Part of Speech	英文简称 Abbreviation	词性 Part of Speech	英文简称 Abbreviation
名词	n.	副词	adv.
动词	v.	介词	prep.
形容词	adj.	连词	conj.
代词	pron.	助词	part.
数词	num.	叹词	int.
量词	m.	拟声词	onom.
数量词	num.-m.	前缀	pref.
能愿动词	mod.	后缀	suf.

生词 New Words

词语 Word/Phrase	拼音 *Pinyin*	词性 Part of Speech	词义 Meaning	课号 Lesson
A				
安全	ānquán	adj.	safe, secure	18
B				
棒	bàng	adj.	excellent, amazing	15
包子	bāozi	n.	steamed stuffed bun	19
保护	bǎohù	v.	to protect	12
报名	bào míng	v.	to apply, to sign up	16
抱	bào	v.	to hold in the arms, to hug	17
抱歉	bàoqiàn	v.	to be sorry	14
笨	bèn	adj.	stupid, foolish	15
遍	biàn	m.	(*denoting an action from beginning to end*) time	13
表格	biǎogé	n.	form, table	16
表示	biǎoshì	v.	to express, to indicate	11
表演	biǎoyǎn	v.	to act, to perform	13
表扬	biǎoyáng	v.	to praise, to commend	15
并且	bìngqiě	conj.	and	12

博士	bóshì	n.	doctor (academic degree)	16
部分	bùfen	n.	part	13

C

猜	cāi	v.	to guess	11
参观	cānguān	v.	to visit, to look around	16
餐厅	cāntīng	n.	restaurant	13
厕所	cèsuǒ	n.	lavatory, toilet	15
场	chǎng	m.	*used for sports or recreational events, etc.*	19
乘坐	chéngzuò	v.	to take (a vehicle), to ride (in a vehicle)	14
吃惊	chī jīng	v.	to be surprised, to be shocked	13
出差	chū chāi	v.	to go on a business trip	14
出发	chūfā	v.	to depart, to set off	20
出生	chūshēng	v.	to be born	19
厨房	chúfáng	n.	kitchen	19
传真	chuánzhēn	v.	to send by fax	16
词语	cíyǔ	n.	word, expression	11
粗心	cūxīn	adj.	careless, thoughtless	15
存	cún	v.	to store, to keep	20
错误	cuòwù	adj.	wrong	13

D

打扮	dǎban	v.	to dress up, to deck out	20
打印	dǎyìn	v.	to print out	19
打招呼	dǎ zhāohu		to greet, to say hello	19
打针	dǎ zhēn	v.	to give or have an injection	15
大概	dàgài	adv.	roughly, approximately	13
大约	dàyuē	adv.	approximately, about	13
戴	dài	v.	to wear (accessories)	19
刀	dāo	n.	knife	19
导游	dǎoyóu	n.	tour guide	16
到底	dàodǐ	adv.	(*used in questions for emphasis*) … on earth	16
倒	dào	adv.	(*used to indicate contrast*) yet, actually	17
道歉	dào qiàn	v.	to apologize	19
得意	déyì	adj.	complacent, gloating	14
登机牌	dēngjīpái	n.	boarding pass	20
底	dǐ	n.	bottom, base	17

地点	dìdiǎn	n.	place, site	18
地球	dìqiú	n.	earth, globe	14
地址	dìzhǐ	n.	address	18
丢	diū	v.	to throw, to cast	14
对话	duìhuà	v.	to have a dialogue	20
对面	duìmiàn	n.	opposite, across	20
对于	duìyú	prep.	for, to, with regard to	12
E				
儿童	értóng	n.	children	15
F				
房东	fángdōng	n.	landlord/landlady	19
放暑假	fàng shǔjià		to be on summer vacation	17
否则	fǒuzé	conj.	or, otherwise	11
父亲	fùqīn	n.	father	15
付款	fù kuǎn		to pay a sum of money	18
复印	fùyìn	v.	to photocopy, to xerox	19
复杂	fùzá	adj.	complicated	11
G				
干杯	gān bēi	v.	to drink a toast	20
赶	gǎn	v.	to rush for, to hurry	15
敢	gǎn	v.	to dare	16
干	gàn	v.	to do, to act	17
高速公路	gāosù gōnglù		expressway	20
胳膊	gēbo	n.	arm	19
公里	gōnglǐ	m.	kilometer	17
功夫	gōngfu	n.	kung fu	19
鼓励	gǔlì	v.	to encourage	14
故意	gùyì	adv.	intentionally, on purpose	15
挂	guà	v.	to hang, to put up	16
观众	guānzhòng	n.	audience	13
管理	guǎnlǐ	v.	to manage, to administer	15
广播	guǎngbō	n.	broadcast, radio program	17
规定	guīdìng	n.	rule, regulation	12
国籍	guójí	n.	nationality, citizenship	19
H				
海洋	hǎiyáng	n.	sea, ocean	17

害羞	hàixiū	v.	to be shy, to be timid	15
寒假	hánjià	n.	winter vacation	15
航班	hángbān	n.	scheduled flight	20
号码	hàomǎ	n.	number	16
合格	hégé	adj.	qualified, up to standard	20
合适	héshì	adj.	fit, suitable	15
盒子	hézi	n.	box, case	14
厚	hòu	adj.	deep, profound	13
互联网	hùliánwǎng	n.	Internet	13
护士	hùshi	n.	nurse	15
怀疑	huáiyí	v.	to suspect, to doubt	15
活泼	huópō	adj.	lively, vivacious	17
火	huǒ	adj.	hot, popular	18
J				
基础	jīchǔ	n.	basis, foundation	13
激动	jīdòng	adj.	excited, emotional	16
记者	jìzhě	n.	journalist, reporter	16
技术	jìshù	n.	technology	18
既然	jìrán	conj.	since, as, now that	14
继续	jìxù	v.	to go on, to continue	13
加油站	jiāyóuzhàn	n.	gas station	20
假	jiǎ	adj.	false, fake	15
减少	jiǎnshǎo	v.	to reduce, to decrease	14
降落	jiàngluò	v.	to descend, to land	18
交通	jiāotōng	n.	traffic, communication	18
郊区	jiāoqū	n.	suburb, outskirts	16
骄傲	jiāo'ào	adj.	arrogant, conceited	15
饺子	jiǎozi	n.	*jiaozi*, dumpling	19
教育	jiàoyù	v.	to educate	12
接着	jiēzhe	adv.	then, immediately after that	18
节	jié	m.	section, length	12
节约	jiéyuē	v.	to economize, to save	12
解释	jiěshì	v.	to explain	12
进行	jìnxíng	v.	to conduct, to carry out	13
禁止	jìnzhǐ	v.	to prohibit, to forbid	19

京剧	jīngjù	n.	Beijing opera	13
精彩	jīngcǎi	adj.	wonderful, splendid	11
警察	jǐngchá	n.	police	18
竞争	jìngzhēng	v.	to compete	17
究竟	jiūjìng	adv.	(used in questions for emphasis) exactly	20
举	jǔ	v.	to give, to enumerate	18
拒绝	jùjué	v.	to refuse, to reject	14
K				
开心	kāixīn	adj.	happy, glad	13
看法	kànfǎ	n.	viewpoint, opinion	11
烤鸭	kǎoyā	n.	roast duck	20
棵	kē	m.	used for plants	20
可怜	kělián	adj.	pitiable, poor	20
可惜	kěxī	adj.	pitiful, regretful	12
客厅	kètīng	n.	living room	11
空	kōng	adj.	empty	14
恐怕	kǒngpà	adv.	(indicating an estimation) I guess…	16
苦	kǔ	adj.	bitter	13
矿泉水	kuàngquánshuǐ	n.	mineral water	18
L				
垃圾桶	lājītǒng	n.	dustbin, trash can	14
辣	là	adj.	hot, spicy	20
来得及	láidejí	v.	there's still time (to do sth.)	11
来自	láizì	v.	to be from	13
懒	lǎn	adj.	lazy	15
老虎	lǎohǔ	n.	tiger	17
冷静	lěngjìng	adj.	calm, composed	16
礼貌	lǐmào	n.	polite	16
理发	lǐ fà	v.	to get a haircut	19
力气	lìqi	n.	physical strength, effort	12
厉害	lìhai	adj.	awesome, serious	11
连	lián	prep.	even	11
凉快	liángkuai	adj.	pleasantly cool	17
零钱	língqián	n.	small change	19
流利	liúlì	adj.	fluent	11

旅行	lǚxíng	v.	to travel, to tour	20
M				
马虎	mǎhu	adj.	careless, slipshod	16
毛	máo	n.	hair, fur	17
毛巾	máojīn	n.	towel	14
美丽	měilì	adj.	beautiful	14
梦	mèng	n.	dream	17
迷路	mí lù	v.	to lose one's way	18
密码	mìmǎ	n.	password	18
秒	miǎo	m.	second, 1/60 minute	18
民族	mínzú	n.	nationality, ethnic group	20
目的	mùdì	n.	aim, purpose	14
N				
难受	nánshòu	adj.	sad, unhappy	17
内容	nèiróng	n.	content	11
弄	nòng	v.	to do, to make	15
暖	nuǎn	adj.	warm	14
暖和	nuǎnhuo	adj.	warm	17
O				
偶尔	ǒu'ěr	adv.	occasionally, once in a while	13
P				
排队	pái duì	v.	to form a line, to line up	17
排列	páiliè	v.	to put in order, to arrange	17
批评	pīpíng	v.	to criticize	15
骗	piàn	v.	to cheat, to deceive	15
乒乓球	pīngpāngqiú	n.	table tennis, ping-pong	19
破	pò	adj.	broken, torn	19
普遍	pǔbiàn	adj.	universal, common	13
普通话	pǔtōnghuà	n.	Mandarin Chinese	20
Q				
千万	qiānwàn	adv.	must, to be sure to	15
签证	qiānzhèng	n.	visa	16
敲	qiāo	v.	to knock, to beat, to strike	15
桥	qiáo	n.	bridge	18
全部	quánbù	n.	all, whole	12

R				
然而	rán'ér	conj.	but, however	11
热闹	rènao	adj.	busy, bustling	17
任务	rènwu	n.	task, mission	12
扔	rēng	v.	to throw away	14
仍然	réngrán	adv.	still, yet	17
日记	rìjì	n.	diary, journal	18
入口	rùkǒu	n.	entrance	17

S				
森林	sēnlín	n.	forest	17
商量	shāngliang	v.	to discuss, to consult	12
稍微	shāowēi	adv.	a little, slightly	13
勺（子）	sháo (zi)	n.	spoon	12
社会	shèhuì	n.	society	17
申请	shēnqǐng	v.	to apply for	13
省	shěng	n.	province	13
省	shěng	v.	to save, to economize	14
剩	shèng	v.	to be left over, to remain	17
失望	shīwàng	v.	disappointed	16
十分	shífēn	adv.	very, extremely	13
使用	shǐyòng	v.	to use	12
世纪	shìjì	n.	century	18
是否	shìfǒu	adv.	if, whether	18
收	shōu	v.	to receive	18
收拾	shōushi	v.	to put in order, to pack	20
首都	shǒudū	n.	capital (of a country)	20
受不了	shòubuliǎo		cannot stand, cannot bear	18
输	shū	v.	to lose, to suffer defeat	16
数量	shùliàng	n.	quantity, amount	14
顺序	shùnxù	n.	order, sequence	11
死	sǐ	adj.	rigid, inflexible	12
速度	sùdù	n.	speed	14
塑料袋	sùliàodài	n.	plastic bag	14
酸	suān	adj.	sour, tart	20
随着	suízhe	prep.	along with, as	13

孙子	sūnzi	n.	grandson	15
T				
抬	tái	v.	to lift, to raise	19
弹钢琴	tán gāngqín		to play the piano	15
汤	tāng	n.	soup	20
趟	tàng	m.	*(used for a round trip)* time	17
讨论	tǎolùn	v.	to discuss, to talk over	13
填空	tián kòng	v.	to fill in a blank	11
停	tíng	v.	to stop, to cease	14
同情	tóngqíng	v.	to show sympathy for	16
同时	tóngshí	conj.	at the same time, meanwhile	11
推	tuī	v.	to put off, to postpone	16
推迟	tuīchí	v.	to postpone, to delay	20
脱	tuō	v.	to take off	19
W				
网站	wǎngzhàn	n.	website	18
危险	wēixiǎn	adj.	dangerous	18
卫生间	wèishēngjiān	n.	restroom, bathroom	14
温度	wēndù	n.	temperature	14
文章	wénzhāng	n.	essay, article	11
污染	wūrǎn	v.	to pollute	14
无	wú	v.	not to have, to be without	12
无法	wú fǎ	v.	cannot to, to be unable (to do sth.)	12
无论	wúlùn	conj.	regardless of, no matter (what, how, when, etc.)	11
误会	wùhuì	n.	misunderstanding	12
X				
咸	xián	adj.	salty	18
相反	xiāngfǎn	conj.	*on the contrary*	12
相同	xiāngtóng	adj.	same	11
香	xiāng	adj.	fragrant, scented	20
详细	xiángxì	adj.	detailed	12
响	xiǎng	v.	to sound, to ring	15
小吃	xiǎochī	n.	small and cheap dishes	20
小伙子	xiǎohuǒzi	n.	young man	16
笑话	xiàohua	n.	joke	20

信封	xìnfēng	n.	envelope	18
信息	xìnxī	n.	news, information	18
行	xíng	v.	to be OK, to be all right	14
醒	xǐng	v.	to wake up, to be awake	15
性别	xìngbié	n.	sex, gender	19
学期	xuéqī	n.	term, semester	19
Y				
牙膏	yágāo	n.	toothpaste	14
呀	ya	part.	*a variant of the interjection "啊", used at the end of a question to soften the tone*	16
严格	yángé	adj.	strict, rigorous	17
盐	yán	n.	salt	12
眼镜	yǎnjìng	n.	glasses, spectacles	19
演出	yǎnchū	v.	to perform, to put on (a show)	13
演员	yǎnyuán	n.	actor/actress	13
养成	yǎngchéng	v.	to develop, to form	11
钥匙	yàoshi	n.	key	20
也许	yěxǔ	adv.	maybe, perhaps	12
叶子	yèzi	n.	leaf	12
页	yè	m.	page	11
以	yǐ	prep.	via, by means of	14
意见	yìjiàn	n.	opinion, suggestion	12
引起	yǐnqǐ	v.	to cause, to lead to	12
由	yóu	prep.	by (sb.)	13
邮局	yóujú	n.	post office	18
友好	yǒuhǎo	adj.	friendly	12
有趣	yǒuqù	adj.	interesting, fun	13
于是	yúshì	conj.	hence, therefore	14
羽毛球	yǔmáoqiú	n.	badminton	19
语法	yǔfǎ	n.	grammar	11
语言	yǔyán	n.	language	12
预习	yùxí	v.	to prepare lessons before class	16
原谅	yuánliàng	v.	to forgive	16
阅读	yuèdú	v.	to read	11
云	yún	n.	cloud	17

允许	yǔnxǔ	v.	to allow, to permit	18
		Z		
杂志	zázhì	n.	magazine	11
脏	zāng	adj.	dirty	14
增加	zēngjiā	v.	to increase, to add	11
占线	zhànxiàn	v.	(of a telephone line) to be busy, to be engaged	19
照	zhào	v.	to take a picture, to photograph	17
整理	zhěnglǐ	v.	to tidy up, to arrange	15
正常	zhèngcháng	adj.	normal, regular	13
之	zhī	part.	*connecting the modifier and the word modified*	11
直接	zhíjiē	adj.	direct, straight	12
只好	zhǐhǎo	adv.	cannot but, to be forced to	11
纸袋	zhǐdài	n.	paper bag	13
重	zhòng	adj.	heavy, weighty	14
重点	zhòngdiǎn	n.	focal point, emphasis	16
重视	zhòngshì	v.	to attach importance to	16
祝贺	zhùhè	v.	to congratulate	20
著名	zhùmíng	adj.	famous,well-known	11
转	zhuǎn	v.	to turn, to shift	19
准确	zhǔnquè	adj.	accurate, precise	11
仔细	zǐxì	adj.	careful, meticulous	12
自信	zìxìn	adj.	self-confident	16
租	zū	v.	to rent, to lease	19
尊重	zūnzhòng	v.	to respect	16
左右	zuǒyòu	n.	around, or so	15
作用	zuòyòng	n.	function	12
作者	zuòzhě	n.	author	18
座	zuò	m.	*used for bridges, mountains, buildings, etc.*	18
座位	zuòwèi	n.	seat	19

专有名词 Proper Nouns

词语 Word/Phrase	拼音 *Pinyin*	词义 Meaning	课号 Lesson
A			
安娜	Ānnà	name of a person	17
C			
长城	Chángchéng	the Great Wall	17
长江	Cháng Jiāng	Yangtze River, the longest river in China	20
长江大桥	Chángjiāng Dàqiáo	Yangtze River Bridge (in Nanjing)	20
D			
大卫	Dàwèi	name of a person	11
G			
广东省	Guǎngdōng Shěng	Guangdong, a province of China	13
L			
六一儿童节	Liùyī Értóngjié	Internationod Children's Pay	17
S			
首都机场	Shǒudū Jīchǎng	Beijing Capital International Airport	20
X			
香山	Xiāng Shān	the Fragrant Hill (in Beijing)	17
Y			
亚洲	Yàzhōu	Asia	17

超纲词 Words Not Included in the Syllabus

词语 Word/Phrase	拼音 Pinyin	词性 Part of Speech	词义 Meaning	课号 Lesson	级别 Level
C					
*吵	chǎo	adj.	noisy	19	五级
D					
*达到	dádào	v.	to reach, to attain	12	五级
*代表	dàibiǎo	v.	to represent, to stand for	16	五级
F					
*方式	fāngshì	n.	way, mode	18	五级
G					
*怪	guài	adv.	rather, quite	20	——
M					
*美人鱼	Měirényú	n.	mermaid	17	——
N					
*闹钟	nàozhōng	n.	alarm clock	15	——
S					
*事半功倍	shì bàn gōng bèi		to achieve twice the result with half the effort	12	——
W					
*舞蹈	wǔdǎo	n.	dance	19	六级
Z					
*抓	zhuā	v.	to catch, to arrest	18	五级

旧字新词 New Words Made Up of Characters Learned before

来自本册 From This Book

新词 New Word	拼音 *Pinyin*	词性 Part of Speech	词义 Meaning	课号 Lesson	旧字 Learned Characters
B					
笔记	bǐjì	n.	notes	11	笔记本
表	biǎo	n.	chart	19	表格
部	bù	n.	part	17	部分
C					
成	chéng	v.	to become	12	成为
春游	chūnyóu	v.	to go on a spring outing	13	春、旅游
D					
袋（子）	dài (zi)	n.	bag, sack	13	塑料袋
F					
风景	fēngjǐng	n.	scenery	20	景色
父母	fùmǔ	n.	parents	15	父亲、母亲
G					
改	gǎi	v.	to change	17	改变
关注	guānzhù	v.	to pay close attention to	14	关心、注意
H					
海	hǎi	n.	sea	17	海洋
环保	huánbǎo	v.	to protect the environment	14	环境、保护
J					
极了	jíle		extremely	17	极、了
加油	jiāyóu	v.	to make a greater effort	20	加油站
减	jiǎn	v.	to subtract	11	减少
减轻	jiǎnqīng	v.	to lighten, to alleviate	11	减少、轻
K					
科技	kējì	n.	science and technology	18	科学、技术
L					
垃圾	lājī	n.	rubbish	14	垃圾桶
理发店	lǐfàdiàn	n.	barbershop	19	理发、商店
例子	lìzi	n.	example	18	例如
凉茶	liángchá	n.	Chinese herbal tea	13	凉快、茶
另	lìng	pron.	another, other	13	另外
M					
美好	měihǎo	adj.	fine, good	16	美丽、好

			N			
暖	nuǎn	adj.	warm	14	暖和	

			Q			
奇特	qítè	adj.	unusual, peculiar	18	奇怪、特别	
气温	qìwēn	n.	(air) temperature	17	气候、温度	
全	quán	adj.	whole	17	全部	

			S			
受	shòu	v.	to receive	12	受到	
数	shù	n.	number	12	数量	

			T			
填	tián	v.	to fill	16	填空	
同样	tóngyàng	adj.	same	12	相同、一样	

			X			
小区	xiǎoqū	n.	residential community, neighborhood	19	小、郊区	
信	xìn	n.	letter	16	信封	
兴趣	xìngqù	n.	interest	11	感兴趣	

			Y			
牙刷	yáshuā	n.	toothbrush	14	刷牙	
养	yǎng	v.	to cultivate, to keep	17	养成	
有效	yǒuxiào	adj.	effective	11	有、效果	
有限	yǒuxiàn	adj.	limited	11	有、限制	
约	yuē	adv.	about	17	大约	

			Z			
增	zēng	v.	to increase	18	增加	
增长	zēngzhǎng	v.	to increase, to enhance	18	增加、长	

补充 Supplementary Vocabulary

新词 New Word	旧字 Learned Characters
茶叶	茶
	叶子
乘客	乘坐
	客人
厨师	厨房
	老师
大海	大
	海洋
寒冷	寒假
	冷
降温	降低
	温度
交警	交通
	警察
惊喜	吃惊
	喜欢
举例	举
	例如

新词 New Word	旧字 Learned Characters
亲情	父亲
	感情
树叶	树
	叶子
孙女	孙子
	女儿
谈论	谈
	讨论
停止	停
	禁止
网址	互联网
	地址
细心	仔细
	粗心
信箱	信封
	冰箱
研讨	研究
	讨论